Kleine deutsche Typologie

Klaus Zobel

Rudolf Griffel

HOLT, RINEHART AND WINSTON
New York   Toronto   London

Cover, drawings and design by

RUDOLF GRIFFEL

Printed in the United States of America
ISBN: 0-03-069160-5
1234   090   98765432

Preface

This textbook does not offer another conventional and stereo-typed impression of Germany and her people but rather a vivid and up-to-date presentation of the differences, contradictions, and idiosyncrasies among Germans. It is our hope that the comical aspects of the German "types" depicted in this book, the satirical descriptions of their habits and customs as well as the many humorous illustrations by Mr. Griffel will help motivate the students in their German studies. Three representative groups of German "types" (characterized according to sports, professions and geographical regions) have been delineated, and in each chapter the peculiar charm as well as the particular folly of one of these types is the subject of the description.

Kleine deutsche Typologie can be used as a reader by students who have been introduced to the main elements of German grammar and basic German vocabulary. Diction, phraseology, choice of words, and grammatical structures will not cause any special difficulties. To help the student read with ease and understanding there are ample footnotes, marginal glosses, and an end vocabulary. A tape program is also available. *Kleine deutsche Typologie* offers precise and interesting information which will enable American students to gain a wider and better understanding of Germany and her people.

Inhaltsverzeichnis

Kleine deutsche Typologie

Fußballspieler und Schiedsrichter

Fußball ist der populärste Sport in Deutschland. Seine Bedeutung kann man kaum überschätzen. *Should* Sollte während eines wichtigen Fußballspieles in der Welt ein Krieg ausbrechen, eine Atombombe *accidentally* aus Versehen explodieren, die deutsche Regierung 5 gestürzt werden oder der Rhein Feuer fangen, niemand würde sich darum kümmern. Fußball ist immer wichtiger.

Stop den
Ball!

Tanzt ihr
Ballet oder
spielt ihr
Fußball!?

Anfänger,
schieß aufs
Tor!

Foul! Foul!

Um Fußball spielen zu können, braucht man ein Fußballfeld, zwei Mannschaften und einen Ball. Dieser Fußball ist rund, wie sich das für einen Ball gehört. Wichtiger aber als der Fußball, die Mannschaften oder das Feld sind die Zu- 5 schauer. Ein Fußballspiel mit nur einem Zuschauer gibt es nicht. Ein Spiel mit 1 000 Zuschauern ist uninteressant, über ein Spiel mit 10 000 Zuschauern berichten Rundfunk und Fernsehen, ein Spiel mit 100 000 Zuschauern ist jedoch eine 10 nationale Angelegenheit, bei der ganz Deutschland den Atem anhält. Je mehr Zuschauer kommen, desto mehr blüht nicht nur die Fußballbegeisterung, sondern auch das Geschäft. Geht aber die Zahl der Zuschauer zurück, so spricht 15 man sofort von einer schweren Krise. Fußballvereine sind Firmen, die in Windeseile verschulden oder bankrott machen, denn die Summen, die ein Verein für seine Spieler ausgibt, sind erheblich. Ein mittelmäßiger Berufsspieler ver- 20 dient ungefähr so viel wie zwei Professoren. Ein erfolgreicher Fußballtrainer erhält ein höheres Gehalt als der Bundeskanzler, das Einkommen eines sehr guten Fußballspielers aber macht selbst auf den Generaldirektor eines großen Konzerns tiefen 25 Eindruck. Fußballspieler kann man selbstverständlich auch kaufen und verkaufen. Ein durchschnittlicher Spieler hat etwa den Wert eines komfortablen Einfamilienhauses. Einen vielversprechenden, aber noch jungen Spieler kann man 30 für den Preis eines achtstöckigen Geschäftshauses haben. Für einen wirklich guten Fußballspieler muß man jedoch annähernd so viel ausgeben wie für ein viermotoriges Düsenflugzeug oder einen modernen Rheindampfer. 35

4

Fußball ist zweifellos ein faszinierender Sport. Viele Leute behaupten, daß Fußballspielen auch gesund sei. Nun, in der Regel werden nur zwei Fußballspieler in jedem Spiel verletzt. Jedes Jahr

5 aber müssen Tausende von Fußballspielern ins Krankenhaus, um sich von den Folgen dieser gesunden Sportart zu erholen.

Der Fußball bringt die Völker zusammen, das sagen auch viele. 1958 verlor die deutsche Natio-

10 nalmannschaft ein Spiel gegen Schweden. Die Beziehungen zwischen Deutschland und Schweden waren danach mehrere Jahre lang mehr als kühl. In Europa gibt es zur Zeit keine Kriege. Als Ersatz dafür hat man Fußball.

15 Neben den Zuschauern, dem Ball und den beiden Mannschaften gibt es im Fußball noch den Schiedsrichter. Der Schiedsrichter ist eine sehr eigenartige Figur. Am Anfang eines jeden Spiels ist er der große Meister, voller Selbstbewußtsein

20 und Würde, von dessen Entscheidungen Sieg oder Niederlage einer Mannschaft abhängen. Am Ende eines Spiels passiert es aber häufig, daß den Zuschauern derselbe Schiedsrichter wie ein kleiner, häßlicher und bösartiger Gnom erscheint.

25 Woran liegt das?

Die Regeln des Fußballs erlauben dem Schieds-richter in der Tat, das Ergebnis eines Spiels entscheidend zu beeinflussen. Gegen den Willen des Schiedsrichters kann keine Mannschaft gewin-

30 nen. Das wissen die Zuschauer und Spieler natürlich auch. Und so gibt sich jeder Spieler zuerst Mühe, einen guten Eindruck auf den Schiedsrichter zu machen. Man begeht Fouls nur, wenn der Schiedsrichter sie nicht sehen kann.

35 Denn ein Foul ist ein Foul, wenn das Foul vom

(subjunctive of sein)

type of sport

As a substitute for it

self-confidence

looks to the spectators like

strives to

fouls are made

5

Schiedsrichter bemerkt wird. Sonst ist das Foul kein Foul. Das Fairplay besteht sozusagen in Fouls, die der Schiedsrichter nicht sieht. Sollte gegen Ende des Spiels eine Mannschaft merken, *is about to* daß sie im Begriff ist, das Spiel zu verlieren, so ist ₅ für sie klar, daß die Unfähigkeit des Schiedsrichters ihren Sieg verhindert hat. Verlierer gibt es außer dem Schiedsrichter im Fußball nicht. Gewinnt die Heimmannschaft, dann ist alles, alles gut, auch für den Schiedsrichter. Er sollte ₁₀ also auf jeden Fall versuchen, eine Niederlage der Heimmannschaft zu vermeiden. Gelingt ihm das nicht, dann gibt ihm das Schicksal eine große *a good sound thrashing* Gelegenheit, seinen Mut zu beweisen. Eine gute Tracht Prügel gehört zum Berufsrisiko eines jeden ₁₅ *would be* Schiedsrichters. Aber was wäre der Fußball ohne seinen Sündenbock, den Schiedsrichter.

FRAGEN

1. Kann man die Bedeutung des Fußballs überschätzen?

2. Was braucht man, um Fußball spielen zu können?

3. Wieviel Zuschauer müssen zu einem Spiel kommen, wenn Radio und Fernsehen darüber berichten sollen?

4. Wann spricht man im Fußball sofort von einer schweren Krise?

5. Verdient ein Professor mehr als ein mittelmäßiger Berufsspieler?

6. Wie teuer ist ein wirklich guter Fußballspieler?

7. Sind die Zuschauer immer mit den Entscheidungen des Schiedsrichters einverstanden?

8. Warum geben sich die Spieler zuerst Mühe, auf den Schiedsrichter einen guten Eindruck zu machen?
9. Was ist für die Mannschaft, die das Spiel verloren hat, völlig klar?
10. Wann gibt das Schicksal dem Schiedsrichter eine große Gelegenheit, seinen Mut zu beweisen?

Der Skifahrer

In Deutschland hat sich in den letzten Jahren
kein Sport so stürmisch entwickelt wie das Skifahren. Im vergangenen Winter rutschten und
fielen mehr als sieben Millionen deutsche Skifahrer von Europas Bergen. Der moderne Winter-
tourismus packte sie wie ein ansteckendes Fieber.
Auf der Suche nach der winterlichen Sonnenbräune, nach Pulverschnee und Erholung rollten
sie an den Wochenenden in endlosen Auto-
kolonnen in die Berge. Erschöpft vom Karusell
der Lifte und Seilbahnen, die Haut braun mit
knietiefen Falten, so kamen sie Sonntag abends   *deep wrinkles*
zurück.

Früher war Skifahren das Hobby von ein paar
Bergsteigern und Snobs, heute herrscht auf den   *there are throngs*
Skihängen ein Gedränge wie um 5 Uhr nach-
mittags auf dem Stachus[1] in München. Nur
Verkehrspolizisten auf den Skihängen verhindern,
daß das Chaos noch chaotischer wird, daß aus den
Tausenden von Skifahrern und Skiern ein gi-
gantischer Skisalat wird.   *"ski mêlée"*

Kein Wunder, daß die Skizentren wie die Pilze   *are shooting up like mushrooms*
aus dem Boden schießen. In Gegenden, wo sich   *which were far off the beaten track*
noch vor wenigen Jahren die Füchse gute Nacht
sagten, trifft sich nun die elegante Welt. Wo
gestern noch der Hahn auf dem Mist krähte,
steht jetzt ein modernes Sporthotel.

Skifahren ist ein gesellschaftliches Ereignis
geworden. Die Skimoden sind heute wichtiger
als die Abendtoiletten für den großen Ball, und
das Nachtleben eines kleinen Wintersportortes ist

---

[1]*Stachus* (or *Karlsplatz*): square in Munich where several
streets converge. During rush hours it is usually jammed by
heavy traffic.

lebendiger als das einer Großstadt. Manche
Hotels zogen sogar mit den Skifahrern auf die
Bergspitzen. Der Snob kann ein exquisites Diner
in einem Luxusrestaurant auf 2 000 Meter Höhe
ebenso bestellen wie einen Martini dry an der ₅
Schneebar. Aber je mehr der <u>Luftdruck</u> fällt,
desto mehr steigen die Preise.

Mühelos <u>stellt man</u> auch in den großen Wintersportorten die Jahres- und Tageszeiten <u>auf den
Kopf</u>. Nach einer Fahrt in Eis und Schnee kann ₁₀
der Skifahrer sich in einem der modernen und
warmen Schwimmbäder erholen. Oder er fährt
nach dem Abendessen noch einmal auf dem mit
Flutlicht erleuchteten Abhang zu Tal.

Das Leben in einem Wintersportort hat seine ₁₅
eigenen Gesetze. Nicht mehr der reiche Bankdirektor oder Topmanager steht im Mittelpunkt
der Gesellschaft. Hier ist es der braun gebrannte
Skilehrer, dessen sportlicher Charme selbst ältere
Damen nicht gleichgültig läßt. Die größte Auf- ₂₀
merksamkeit erregt der Skilehrer jedoch bei den
Skihasen. Skihasen nennt man die attraktiven
Teenager, die noch sehr unerfahren in der Kunst
des Skifahrens sind. Meist <u>rutschen</u> sie mehr <u>auf
ihren Hosen</u> als auf den Skiern. Sie bewundern ₂₅
den Skilehrer nicht nur am Skihang, sondern
auch beim Tanz zum Fünfuhrtee. Und eins ist
sicher: Ohne Skihasen und Skilehrer <u>wäre</u> der
Wintersport so uninteressant wie ein Sommer
ohne Parties oder ein Winter ohne Schnee. ₃₀

atmospheric pressure

one reverses the order

slide on their pants

would be

Von Tieren . . . oder Menschen?

Skihase: (literal translation: *a ski-hare*), *"ski-bunny," attractive young girl who is a beginner in skiing*

1. jemandem auf die Hühneraugen treten:
   to tread on someone's corns, to hurt someone's feelings

2. einen Vogel haben:
   to have a bee in one's bonnet, to be crazy

3. Dackelbeine haben:
   to be bow-legged

4. eine Gänsehaut bekommen:
   to give one goosepimples, to make one's flesh creep

5. einen Kater haben:
   to suffer from a hangover

6. jemandem einen Bären aufbinden:
   to hoax a person, to play a practical joke

7. ein Esel sein:
   to be a blockhead or fool

8. eine dumme Gans sein:
   to be a silly goose

9. auf dem hohen Roß sitzen:
   to be on one's high horse, haughty, conceited

10. jemanden über das Ohr hauen:
    to cheat a person

Zehn merkwürdige Fragen und Antworten, in denen es um Skihasen und andere Tiere geht.

1. Was ist möglich?

Es ist möglich, daß ein Herr einem Skihasen auf die Hühneraugen tritt.

2. Was ist nicht unmöglich?

Es ist nicht unmöglich, daß ein Skihase einen Vogel hat.

3. Was kommt manchmal vor?

Es kommt vor, daß ein Skihase Dackelbeine hat.

4. Was kann passieren?

Es kann passieren, daß ein Skihase eine Gänsehaut bekommt.

5. Was kann auch passieren?

Es kann auch passieren, daß ein Skihase einen Kater hat.

6. Was kann komisch sein?

Es kann komisch sein, wenn ein junger Mann einem Skihasen einen Bären aufbindet.

7. Was ist dumm?

Es ist dumm, wenn sich ein Skihase mit einem Esel verabredet.

8. Was kann auch dumm sein?

Es kann auch dumm sein, wenn dieser Esel den Skihasen eine dumme Gans nennt.

9. Was ärgert den Skilehrer?

Es ärgert den Skilehrer, wenn ein Skihase auf dem hohen Roß sitzt.

10. Was sollte man nicht tun?

Man sollte einen Skihasen nicht über das Ohr hauen.

Allerlei Skifahrer

Skihasen sind auf den Skiern hilflos wie Babies.
Und oft merken sie zu spät, daß Skifahren eine
ebenso schwere Kunst ist wie zum Beispiel das
Klavierspiel. Nur hört man natürlich selten, daß
5 sich jemand am Klavier die Finger bricht. Beim
Skifahren hingegen sind Knochenbrüche so normal
wie nasse Füße bei Regenwetter. An schönen
Wochenenden im Winter fahren die Kranken-
wagen pausenlos zwischen den Krankenhäusern   *continuously*
10 und Skigebieten hin und her. Sogar mit Flug-
zeugen werden die Opfer des Skisports von den
Bergen ins Hospital geflogen. Und die Kranken-
häuser in den Wintersportorten bereiten an
Samstagen immer eine besonders große Zahl von
15 Betten für verletzte Skifahrer vor. Meist bleibt
keines der Betten leer.

Skifahrer sind fröhliche Fatalisten. Sie kennen   *cheerful fatalists*
das Risiko, aber sie ignorieren die Gefahr.

Neben den Skihasen und Skilehrern ist vielleicht
20 noch ein anderer Typ des Skifahrers interessant,
wir meinen die SKIKANONE. Diese Virtuosen des   *ski ace*
Skilaufs sind so populär wie Filmstars. Sie erreichen

durch Talent und enormes Training eine Perfektion, wie man sie nur aus dem Berufssport
kennt. Dennoch nennen sich diese Skikanonen
stolz Skiamateure. Ein solcher Skiamateur wird
nach einem Skirennen von einem Reporter 5
interviewt:

REPORTER: Meinen besten Glückwunsch, Herr
Mayer, zu Ihrem großen Erfolg in diesem
Rennen.

SKIAMATEUR: Danke. 10

REPORTER: Wieviel Rennen sind Sie in dieser
Saison bereits gefahren?

SKIAMATEUR: Ungefähr 30.

REPORTER: Dann fahren Sie wohl an jedem
Wochenende ein oder zwei Rennen? 15

SKIAMATEUR: Ja, ich brauche diese Vorbereitung,
um für die großen Skirennen der Saison in
Form zu kommen.

REPORTER: Was machen Sie während der Woche?

SKIAMATEUR: Ich trainiere an jedem Wochentag. 20

REPORTER: Ist das nicht zu viel?

SKIAMATEUR: Man muß heute täglich trainieren,
wenn man bei den internationalen Wettkämpfen
eine Chance haben will.

REPORTER: Haben Sie während des Winters noch 25
Zeit für Ihren Beruf?

SKIAMATEUR: Nein, leider nicht.

REPORTER: Aber Sie sind Amateur?

SKIAMATEUR: Selbstverständlich.

REPORTER: Was machen Sie im Sommer, Herr 30
Mayer?

SKIAMATEUR: Im Sommer absolviere ich mein
Konditionstraining.

conditioning

REPORTER: Aber auf Skiern stehen Sie im Sommer
nicht? 35

SKIAMATEUR: <u>Doch</u>. Auf der Zugspitze[1] und auf   *Yes, I do*
einigen anderen sehr hohen Bergen der Alpen
wird auch im frühen Sommer und späten
Herbst trainiert.

5 REPORTER: Herr Mayer, Sie nehmen jedes Jahr an
Rennen in der Schweiz, in Österreich, in
Frankreich, in Norwegen, ja in U.S.A. und
Kanada teil. Bezahlen Sie selbst diese großen
Reisen?

10 SKIAMATEUR: Nein.
REPORTER: Aber Ihre Skier, Ihren Anorak, Ihre
gesamte Skiausrüstung kaufen Sie selbst?
SKIAMATEUR: Nein.
REPORTER: Zahlen Sie für solche Geschenke
15 wenigstens <u>Steuern</u>?   *taxes*
SKIAMATEUR: Nein, ich bin ja Amateur.
REPORTER: Herr Mayer, der große französische
Rennläufer Killy sagte vor einiger Zeit, daß
man den Amateurstatus aller internationalen
20 Skistars <u>anzweifeln</u> kann. Glauben Sie, daß   *question*
Killy recht hat?
SKIAMATEUR: Dazu kann ich nichts sagen.
REPORTER: Wie unterscheidet sich nach Ihrer
Meinung der Profi vom Amateur?
25 SKIAMATEUR: Der Profi verdient viel Geld mit dem
Skifahren, und <u>er darf das auch zugeben</u>.   *he may readily admit it*
REPORTER: Und Sie nicht?
SKIAMATEUR: Ich bin Amateur, das habe ich
Ihnen <u>doch</u> schon gesagt.   *(for emphasis)*
30 REPORTER: Herr Mayer, immer wieder kann man
Gerüchte hören, daß weltbekannte Skifirmen
eigene Teams von Rennläufern <u>unterhalten</u>.   *keep*

---

[1]*die Zugspitze:* Highest mountain in Bavarian Alps and
western Germany. (2 963 *m* = 9719 ft)

SKIAMATEUR: Sie meinen, daß Skifirmen mit den Rennerfolgen ihrer Skifahrer Reklame machen?

REPORTER: Ja, ich denke, daß eine Skifirma vielleicht einen erfolgreichen Skiläufer gut bezahlt, um in ihrer Reklame sagen zu können: Mit unseren Skiern wurden in dieser Saison fünf große Rennen gewonnen. Unsere Skier sind die besten.

SKIAMATEUR: Nein, nein, das sind nur dumme Gerüchte. Wir Skifahrer sind alle reine Amateure.

finally REPORTER: Na gut, zum Schluß nur noch eine Frage, Herr Mayer. Was sind Sie von Beruf?

SKIAMATEUR: Ich bin Reisevertreter einer Skifabrik.

FRAGEN

1. Ist der Skisport in Deutschland sehr populär?
2. Womit läßt sich das Gedränge auf den Skihängen vergleichen?
3. In welchen Gegenden sind über Nacht moderne Skizentren entstanden?
4. Weshalb kann man sagen, daß Skifahren ein gesellschaftliches Ereignis geworden ist?
5. Was wird man ohne weiteres in einem Luxusrestaurant auf 2 000 m Höhe bestellen können?
6. Stimmt es, daß in den großen Wintersportorten die Jahres- und Tageszeiten auf den Kopf gestellt werden?
7. Wen bezeichnet man als Skihasen?
8. Ist Skifahren ein völlig ungefährlicher Sport?

9. Wodurch erreichen die Skikanonen ihre Perfektion im Skilaufen?

10. Sind die bekanntesten und erfolgreichsten Skiläufer wirklich noch reine Amateure?

Der Campingfreund

Jeder vierte Bürger der Bundesrepublik ist ein Campingfreund, einer jener modernen Touristen, die weder in einem Hotelbett schlafen noch in einem Restaurant essen. Für 14 Tage im Jahr *is longing for* sehnt sich der Campingfreund nach der Primi- 5 tivität der Nomaden, 14 Tage im Jahr will er zurück zur Natur, aber er landet in den Gettos der Zeltplätze und in den weit geöffneten Armen der Campingindustrie. Camping ist das große Geschäft. Die Industrie diktiert und die Camping- 10 freunde kaufen: Camping-Zelte, Camping-Möbel,

Camping-Heizung, Camping-Gas, Camping-Bücher, Camping-Nahrung, Camping-. . . , Camping . . . Der Camping-Boom ist gigantisch. Das Camping-Zelt ist die perfekte und komplette
5 Kopie der Wohnung zu Hause. Es fehlt nichts, _Nothing is missing_ Tische, Stühle, Sessel, Tassen, Töpfe, alles ist da, alles aus Plastik oder Aluminium. Für jedes Stück des Haushalts gibt es eine Camping-Version.

Der Camping-Freund ist niemals allein. Er
10 glaubt an das Camping wie andere an Coca Cola oder bayrisches Bier. Er sehnt sich nach einem

alten Rest Boy-Scout-Romantik, nach etwas
gypsy life Zigeunerleben, nach viel Sonne und wenig Sport.
Weder die Oma noch das Baby sind vom Cam-
ping ausgeschlossen. Zum Camping fahren alle,
Anarchisten und Konservative, Katholiken und ⁵
Protestanten, die Vegetarier und die Alkoholiker,
die Teenager wie die Mütter, die Dicken wie die
Dünnen.
In the daytime Am Tage werden sie von der Sonne gequält, in
der Nacht vom nassen Boden und der Kälte. ¹⁰
Sie liegen auf ihren Bäuchen in der heißen Sonne,
die Haut rot wie Indianer, die Beine und Augen
mosquito bites geschwollen von Mückenstichen. Sie alle leiden,
sie leiden am Camping.
Von 10 Camping-Freunden träumen 10 nachts ¹⁵
von warmen Betten und 9 verwechseln Camping
mit Erholung. Für einige ist Camping sogar eine
Ideologie.
Im Sommer fallen die deutschen Camping-
locusts freunde wie die Heuschrecken in Südeuropa ein. ²⁰
Sie fliehen vor dem deutschen Wetter, dem ewigen
Regen Mitteleuropas. Natürlich kann es dann
fall out of the frying pan auch passieren, daß sie vom Regen in die Traufe
into the fire kommen. Im Tagebuch eines Jungen, der mit
seinen Eltern zum Camping fuhr, lesen wir: ²⁵

1. Tag: R E G E N

*(Ankunft. Mutter lacht noch über Vaters
dumme Witze.)*

2. Tag: R E G E N

(Vater erzählt keine Witze mehr.)

20

3. Tag: R E G E N

(*Vater düster. Mutter spürt ihr Rheuma.*)

4. Tag: R E G E N

(*Vater <u>gibt</u> Mutter <u>die Schuld am</u> schlechten*   *blames mother for*
Wetter. Mutter hat ihren ersten Nerven-
zusammenbruch).

5. Tag: R E G E N

(*Mutter hat ihren zweiten Nervenzusammen-*
bruch.)

6. Tag: R E G E N

(*Vater cholerisch. Mutter gebraucht das Wort*
Scheidung.)

7. Tag: R E G E N

(*Familien-Chaos . . .*)

---

8. Tag: S O N N E N S C H E I N
(*Die Familie ist am <u>Vortage</u> abgereist, weil*   *preceding day*
das Wetter zu schlecht war.)

Wetter-Dialoge

Das Thema Wetter wird von jedem Campingfreund bei jeder Gelegenheit und mit jedermann
diskutiert. Und jeder fragt jeden Campingfreund,
der nach Hause zurückkehrt:

WIE WAR DAS WETTER? ₅

(*Familie Kraut war beim Camping. Auf der Straße
trifft Herr Kohl Herrn Kraut.*)

KOHL: Na, alter Junge, wieder vom Camping
zurück? Wie hat es dir gefallen?

KRAUT: Phantastisch! ₁₀

KOHL: Und das Wetter?

KRAUT: Wunderbar! Sonnenschein, nichts als
Sonnenschein!

KOHL: Niemals Regen?

KRAUT: Niemals, nur die warme Sonne des ₁₅
Südens.

KOHL: Nicht einmal ein kurzes Gewitter?

Well, yes KRAUT: <u>Nun ja,</u> in der letzten Nacht hatten wir
ein kurzes Gewitter, das war alles.

KOHL: Ein Gewitter bei Nacht! Wie romantisch! ₂₀
Blitze, Donner, alles so nah, so direkt!

KRAUT: Sehr nah, sehr direkt. — Bei Gott, ich
werde das nie vergessen!

Weren't you afraid? KOHL: <u>Hattest du keine Angst?</u> ₂₅

22

KRAUT: Unsinn!

KOHL: Und deine Frau?

KRAUT: Meine Frau hat nie Angst, wenn ich bei
ihr bin.

5   (*Eine halbe Stunde später treffen
sich die Ehefrauen der beiden Herren.*)

FRAU KOHL: Eva! Welch eine Überraschung!
Warum seid ihr so früh zurückgekommen?
War das Wetter schlecht?

10   FRAU KRAUT: Einfach schrecklich, liebe Elisabeth,
wir hatten ein furchtbares Gewitter.

FRAU KOHL: Am Nachmittag?

FRAU KRAUT: Nein, mitten in der Nacht!

FRAU KOHL: Hattest du Angst?

15   FRAU KRAUT: Natürlich. Nachts ist es so schwer,
die Blitze zu ignorieren.

FRAU KOHL: Warst du sehr nervös?

FRAU KRAUT: Ja, sehr. Ich wollte noch in derselben
Nacht in ein Hotel umziehen.   *move to*

20   FRAU KOHL: Und was machte dein Mann?

FRAU KRAUT: Der lag flach auf dem Boden und
zog sich zwei Kissen über die Ohren. Er hatte   *He was terribly*
panische Angst.   *frightened*

FRAU KOHL: Angst vor dem Gewitter oder den
25   hohen Hotelpreisen?

FRAU KRAUT: Diesmal nur vor dem Gewitter.

FRAU KOHL: Was willst du in den nächsten Tagen
tun?

FRAU KRAUT: Ich werde mich vom Urlaub
0   erholen.

FRAU KOHL: Habt ihr schon Pläne für das nächste
Jahr?

FRAU KRAUT: Um Gottes willen, ich werde nie   *For Heaven's sake*
wieder zum Camping fahren.

*(Die Söhne der beiden Familien treffen
sich eine Stunde später.)*

KARL KOHL: Wieder zurück?

KURT KRAUT: Dumme Frage!

KARL KOHL: Wie war das Wetter? 5

a bad storm   KURT KRAUT: Wir hatten ein Unwetter!

KARL KOHL: Mit Blitz und Donner?

KURT KRAUT: Leider.

KARL KOHL: Und deine Eltern?

KURT KRAUT: Sie haben einen großartigen Sinn 10
für Humor.

KARL KOHL: Was??

KURT KRAUT: Vater hatte beim ersten Blitz einen
Nervenzusammenbruch, und Mutter wurde

mattresses   hysterisch, als unsere Matratzen im Wasser 15
schwammen.

KARL KOHL: Und was hast du getan?

KURT KRAUT: Ich habe Vaters Schnaps ausge-
trunken.

KARL KOHL: Gewitter haben auch ihre guten 20
Seiten.

KURT KRAUT: Mag sein, aber vom Familien-

I've had my fill   Camping habe ich die Nase voll.

KARL KOHL: Was willst du nächstes Jahr machen?

KURT KRAUT: Nächstes Jahr erkläre ich meine 25
Unabhängigkeit!

KARL KOHL: Und?

KURT KRAUT: Und bleibe zu Hause.

Nichtsdestoweniger fahren ein Jahr später alle
Krauts wieder gemeinsam zum Camping. Wahr-

is already approaching   scheinlich wartet bereits ein Gewitter auf sie,
denn Gewitter sind böse, sie haben Freude an
der Angst der Menschen und auf Camping-
plätzen donnern sie besonders laut.

FRAGEN

1. Der Campingfreund will zurück zur Natur, aber wo landet er?
2. Was kann man alles für das Camping kaufen?
3. Wer fährt zum Camping?
4. Ist Camping immer ein reines Vergnügen?
5. Weshalb verbringen viele Campingfreunde ihren Urlaub in Südeuropa?
6. Warum war die Familie Kraut vorzeitig vom Camping zurückgekommen?
7. Wie verhielt sich Herr Kraut bei dem Gewitter?
8. Was sagt Frau Kraut am Ende ihrer Unterhaltung mit Frau Kohl?
9. Ist ihr Sohn derselben Meinung?
10. Erzählen die drei Krauts alle auf die gleiche Weise von dem Gewitter, das sie beim Camping erlebten?

Der Autofahrer

Traffic goes the wrong way

Der Verkehr verkehrt verkehrt in Deutschland. In der internationalen Statistik der Autounfälle steht Deutschland an erster Stelle. 1966 wurden 16 864 Menschen bei Verkehrsunfällen getötet. 16 864 Menschen starben in einem Jahr auf den 5 Straßen eines Landes, das etwa so groß ist wie Oregon. Die deutschen Straßen werden allmählich ein Schlachtfeld. 1815 kämpfte General Wellington einen harten und blutigen Kampf gegen Napoleon. Aber Wellington verlor in der 10 Schlacht von Waterloo nur 15 000 Leute. 1775 hatten die britischen Truppen bei Lexington ungefähr die Zahl von Toten und Verwundeten, die ein Tag im deutschen Verkehr bringt. 456 000 Deutsche wurden 1966 bei Autounfällen verletzt. 1

Just as many damage

Ebenso viele Menschen leben etwa in Städten wie Denver oder Memphis. Der Sachschaden erreichte die respektable Summe von 6,7 Milliarden DM.

3 km/h ➡   50 km/h ➡   100 km/h ➡

Mit diesem Geld könnte man 1,3 Millionen Volkswagen kaufen oder eine neue Großstadt für 300 000 Einwohner bauen. Im Moment gibt es in Deutschland zwölf Millionen Autos, in wenigen Jahren werden es doppelt so viele sein. Und dann?

Dann kann man a) das Auto verkaufen
b) das Auto in der Garage lassen
oder c) mit der Eisenbahn fahren.

Leider ignorieren die Reisebüros diese Fakten.
Wie attraktiv wären Slogans wie:
Sind Sie ein Draufgänger und Abenteurer, der kein Risiko scheut?
Dann kommen Sie mit dem Auto nach Deutschland!
Haben Sie eine alte Tante, die Sie beerben wollen, dann schicken Sie die Dame zu einer Autotour nach Deutschland!

How attractive would be slogans like
dare-devil

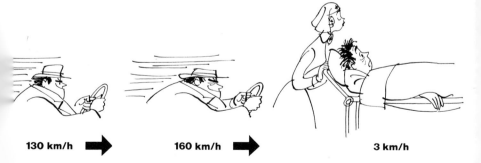

130 km/h ➡   **160 km/h** ➡   **3 km/h**

measured

speed limit

is still in its initial
stages

until there's a crash

they do not set the
fashion

Allzu viele Deutsche fahren aggressiv. Jeder will beweisen, daß er am schnellsten ist. Wer überholt, der ist der bessere Mann. Selbst die Großmutter auf dem Rücksitz wird munter, wenn ihr Enkel ein anderes Auto überholt. Das Auto ist *das* Statussymbol. Die neue deutsche Gesellschaft besteht nicht mehr aus den Klassen der Proletarier und Bürger, sondern aus Mercedes- und Volkswagenfahrern. Ein großer und schneller Wagen verschafft Respekt. Deshalb wird auf den Straßen Prestige in PS und Zylindern gemessen. Auf den Autobahnen kann jeder demonstrieren, wie gefährlich schnell sein Auto ist, denn eine Geschwindigkeitsbeschränkung existiert nicht.

Das defensive Fahren steckt in Deutschland noch in den Kinderschuhen. Nur wenige können sich der Neurose des Schnellfahrens entziehen.

Natürlich gibt es auch Verkehrsgesetze, aber sie sind viel zu kompliziert. Nicht jeder kann seinen Rechtsanwalt im Auto mitnehmen, damit er einen Experten für die Vorfahrt zur Hand hat. Viele Autofahrer merken erst nach dem Unfall, daß sie die Vorfahrt nicht hatten. Aber eine ganze Reihe von Fahrern stört das nicht. Sie lieben das Risiko und fahren . . . und fahren . . . und fahren . . . bis es kracht.

Selbstverständlich ist der Verkehr nicht nur in Deutschland gefährlich. Sicherlich gibt es auch in der Bundesrepublik vorsichtige und höfliche Fahrer. Aber im dichten Verkehr der Straßen geben sie den Ton nicht an. Leider.

GRIFFEL

„Sie haben Glück, ich bin Arzt!"
„Sie haben Pech, ich bin Rechtsanwalt!"

Ein klarer Fall

(Ein Autofahrer verliert die Kontrolle über seinen Wagen. Er fährt quer über die Straße auf den Bürgersteig. Direkt neben einem Fußgänger kommt das Auto zum Stehen.)   pedestrian

FUßGÄNGER: Sind Sie wahnsinnig, dies ist ein Bürgersteig!

AUTOFAHRER: Sie Fußgänger! Was verstehen Sie vom Autofahren!

29

FUßGÄNGER: Sie haben mich beinahe überfahren!

AUTOFAHRER: Warum gehen Sie nicht zur Seite?

FUßGÄNGER: Das ist ein Bürgersteig hier!

(*Ein Polizist nähert sich.*)

POLIZIST: Was ist hier los? 5

AUTOFAHRER: Der junge Mann wollte mir gegen das Auto springen.

guilty party FUßGÄNGER: Unsinn! Sie sind hier der Schuldige, das ist doch völlig klar!

POLIZIST: Halt! Im Straßenverkehr ist niemals 10 etwas völlig klar.

FUßGÄNGER: Was heißt das?

POLIZIST: Sie sind beide schuldig, bis ein Richter den Fall geklärt hat.

FUßGÄNGER: Ich auch? 15

If you had not been here POLIZIST: Wenn Sie nicht hier gewesen wären, hätte es keinen Unfall gegeben.

FUßGÄNGER: Aber es war doch gar kein Unfall!

touched AUTOFAHRER: Seine Hose hat mein Auto gestreift!

the matter could have turned out much worse POLIZIST: Dann war es ein Unfall. Außerdem hätte 2 die Sache viel schlimmer ausgehen können. Und wie lautet der Paragraph I?

FUßGÄNGER: Das weiß ich nicht.

AUTOFAHRER: (*mechanisch*) Jeder Teilnehmer am öffentlichen Straßenverkehr hat sich so zu verhalten, daß kein anderer gefährdet, geschädigt oder mehr als nach den Umständen unvermeid- *or more than conditions*
5 bar, behindert oder belästigt wird. *necessitate*
POLIZIST: Gut. (*wendet sich an den Fußgänger*) Der Herr kennt das Gesetz, und das ist besonders wichtig! Kommen Sie jetzt beide mit zur Wache. Dort werde ich alles protokollieren.—

10 Wie ein solch eindeutiger Fall nachher vom Richter entschieden wird, kann niemand vorher sagen. Viele Urteile in den letzten Jahren waren so eigenartig, daß sie Unschuldige und Schuldige in gleicher Weise verblüfften. Den Richtern sind *startled*
15 die Probleme des Straßenverkehrs ebenso über *have become too big for* den Kopf gewachsen wie den Polizisten und Autofahrern.

Dialog zwischen zwei
Autofahrern

salesmen

(*Zwei Handelsvertreter sitzen in einem Restaurant an der Autobahn.*)

A: (*hebt sein Bierglas*) Prost, Herr Kollege!

B: (*hebt auch sein Bierglas*) Prost!

(*Sie trinken und stellen ihre Gläser wieder auf den Tisch.*)

A: Wieviel Kilometer müssen Sie täglich fahren?

B. Ungefähr 500.

A: Das ist viel.

Wann hatten Sie Ihren letzten Unfall?

B: Vor zwei Tagen. Und Sie?

A: Vor einem Jahr.

meantime

B: Und in der Zwischenzeit?

A: War ich im Krankenhaus.

B: Ja, ja, wir leben gefährlich.

Ich möchte wissen, an welchem Tage ich auf

I'll have another accident

der Autobahn wieder verunglücke.

A: Warum?

B: Dann würde ich an dem Tage zu Hause bleiben.

FRAGEN

1. Wieviel Menschen wurden 1966 in Deutschland bei Verkehrsunfällen getötet?

2. Der Sachschaden erreichte die Summe von 6,7 Milliarden DM. Was könnte man mit diesem Geld alles machen?

3. Welche drei Möglichkeiten hat man, wenn sich in den nächsten Jahren die Zahl der Autos verdoppelt?

4. Weshalb ist vielen das Überholen auf den Straßen so wichtig?

5. Wann wird selbst die Großmutter auf dem Rücksitz munter?

6. Früher gab es die Klasse der Proletarier und die der Bürger. Wie ist es heute?

7. In Deutschland existiert keine Geschwindigkeitsbeschränkung. Was kann daher jeder auf den Autobahnen demonstrieren?

8. Sind die deutschen Verkehrsgesetze sehr unkompliziert?

9. Welche Fahrer geben leider im deutschen Straßenverkehr den Ton an?

10. Sind nur den Autofahrern die Probleme des modernen Straßenverkehrs über den Kopf gewachsen?

Der Handwerker

conveyor-belt

Obwohl die Automation und das Fließband unsere moderne Welt bestimmen, hat sich für die Handwerker in Deutschland nur wenig geändert. Die Leute kaufen ihre Brötchen nicht im Supermarkt, sondern beim Bäcker. Den 5

pastry cook

Geburtstagskuchen bestellen sie beim Konditor, und das Steak für das Mittagessen holen Sie beim Fleischer. Wer zu große Füße hat, der läßt sich beim Schuhmacher die Schuhe machen, und wer für einen Konfektionsanzug zu dick ist, der geht 10 zum Schneider.

1967 arbeitete in der Bundesrepublik Deutschland noch die beachtliche Zahl von 4 Millionen Handwerkern. Selbst die enorme industrielle Revolution der letzten hundert Jahre konnte das 15 Handwerk nicht verdrängen. Ein junger Mann, der ein Handwerk erlernen will, kann heute unter 125 Berufen wählen. Auch in der Mitte des 20. Jahrhunderts ist es immer noch möglich, Bürstenmacher, Korbmacher, Handschuhmacher

bell-founder

oder Glockengießer zu werden. Allein die Existenz dieser mittelalterlichen Berufe in unserer modernen Welt der Superraketen und Komputer zeigt auch, wie stark die Tradition im Handwerk ist. Wie vor 700 Jahren muß der Handwerker immer

journeyman

noch viele Jahre als Lehrling und Geselle in seinem Beruf arbeiten, bevor er Meister werden kann. Nur wer die Gesellen- und Meisterprüfung besteht, darf selbständig ein Geschäft aufmachen und

Lehrlinge ausbilden. Ob Maurermeister, Friseurmeister, Schuhmachermeister, Fleischermeister,
Schornsteinfegermeister oder Geigenbaumeister,   *master chimney-sweep*
sie alle waren zuerst drei oder dreiundeinhalb   *master violin builder*
5 Jahre Lehrlinge, dann fünf oder sechs Jahre
Gesellen, bis sie sich schließlich Meister nennen
durften.

Und so ist es auch verständlich, daß der Handwerker seinen Beruf nicht so leicht wechseln kann
10 und will wie der Industriearbeiter seinen Job.
Gesellen und Meister hängen meist zäh an dem
einmal gelernten Handwerk. — Und kein richtiger
Handwerker wird jemals auf den Gedanken   *will ever get the idea*
kommen, sich zur Arbeiterklasse zu zählen.

Der Schornsteinfeger

5   Wenn man sich etwas umsieht, kann man auch
heute noch die Handwerker in Deutschland an
ihrer Berufskleidung erkennen. So tragen die
Zimmerleute einen schwarzen Anzug aus Man-   *a suit of black corduroy*
chester mit weißen Knöpfen, weiten Hosen und
einem Schlapphut. Die Fleischer haben weiß-blau   *slouch hat*
gestreifte Hemden an und die Bäcker schwarz-weiß *black-and-white checked*
karierte Hosen. Am auffallendsten ist jedoch die
Kleidung der Schornsteinfeger.

Ein junger Amerikaner, der in Deutschland
studiert, sieht zum ersten Mal in seinem Leben
einen solchen schwarzen Schornsteinfeger.

AMERIKANER: Entschuldigen Sie bitte, daß ich Sie
hier auf der Straße anspreche. Ich bin Ausländer
und möchte sehr gerne wissen, was für einen
Beruf Sie haben.

35

SCHORNSTEINFEGER: Ich bin Schornsteinfeger.

AMERIKANER: Ich muß zugeben, daß ich nicht genau weiß, was das ist.

SCHORNSTEINFEGER: Ganz einfach: meine Aufgabe ist es, die Schornsteine der Häuser zu säubern.

AMERIKANER: Und wozu brauchen Sie diese eiserne Kugel mit den Stacheln?   *bristles*

SCHORNSTEINFEGER: Das ist mein Besen.

AMERIKANER: Ein etwas eigenartiger Besen!

SCHORNSTEINFEGER: Ja, ja, aber ohne diesen eigenartigen Besen könnte ich nichts anfangen.

AMERIKANER: Wie arbeiten Sie damit?

SCHORNSTEINFEGER: Ich steige auf die Dächer der Häuser bis zum Schornstein. Dann lasse ich die   *lower* Kugel, die an einer Leine hängt, in den Schornstein hinab. Mehrmals ziehe ich die Kugel auf und ab. Auf diese Weise wird der Ruß aus dem Schornstein gestoßen.

AMERIKANER: Aha, das ist mir jetzt klar. Aber warum tragen Sie diesen schwarzen Zylinder?   *top hat* Stört der Sie nicht bei der Arbeit?

SCHORNSTEINFEGER: Nein, nein. — Der Zylinder gehört zu unserer traditionellen Berufskleidung.

AMERIKANER: Dann tragen Sie Ihren Zylinder genauso wie die Zimmerleute ihren Schlapphut?

SCHORNSTEINFEGER: Ganz richtig.

AMERIKANER: Nun habe ich nur noch eine Frage. Vorhin sah ich, wie eine junge Frau auf Sie zutrat und Ihre rußige Kleidung mit dem   *sooty* Finger berührte. Hat das eine besondere Bedeutung?

SCHORNSTEINFEGER: Nun, das ist eine alte Sitte. Die Leute glauben, daß der Schornsteinfeger ihnen Glück bringt.

AMERIKANER: Ist das so eine Art von Aberglauben?

SCHORNSTEINFEGER: Ja, ja. Besonders die heirats-
fähigen Mädchen glauben, daß es ihnen Glück
bringt, wenn sie einen Schornsteinfeger berühren.
AMERIKANER: Haben Sie vielen Dank für Ihre
freundliche Auskunft. (*Der Student gibt dem* 5
Schornsteinfeger die Hand) Bringt mit das auch
Glück?
SCHORNSTEINFEGER (*lacht*): Ganz bestimmt.

Ein Teufelskreis

Man mag viele Dinge im konservativen Hand-
werk überholt und unmodern nennen. Dennoch ist 10
es eine Tatsache, daß 1967 die Handwerker in
Deutschland insgesamt einen Umsatz von 135
Milliarden DM hatten. Das ist eine erstaunliche
Zahl, die sicherlich zeigt, daß das Handwerk den
Kampf mit der Industrie noch keineswegs verloren 15
hat. Installateure, Elektriker oder Tischler sind
heute so sehr beschäftigt, daß man manchmal ein
ganzes Jahr auf sie warten muß.
Wer aber genau wissen will, wie wichtig die
Handwerker sind, der muß ein Haus bauen. 90% 20
seiner Zeit wird er vergeblich auf sie warten.
Vielleicht geht es ihm auch wie Herrn X, der
gerade den Elektromeister Müller anruft:
HERR X: Hallo, spreche ich mit Herrn Elektromeister Müller?
MÜLLER:Ja, hier Müller.
HERR X: Herr Müller, Sie wollten doch vor vier
Wochen kommen und die elektrischen Leitungen
legen. Wir warten dringend auf Sie, denn sonst
wird unser Haus nicht mehr vor dem Winter
fertig.

38

MÜLLER: Lieber Herr X, wir haben wirklich in
den nächsten Wochen keine Zeit. Außerdem
müssen zuerst die Installateure die Rohre in die
Wand legen. Unsere Leitungen kommen erst
5   zum Schluß.
HERR X: Danke, Herr Müller, dann will ich gleich
den Installateur anrufen.
(*Herr X wählt die Nummer des Installateurs.*)
HERR X: Guten Tag, Herr Meyer. Können Sie
10 morgen mit Ihren Leuten die Rohre in meinem
Haus legen?
MEYER: Ganz unmöglich, Herr X. Wir arbeiten
jetzt in einem neuen Hochhaus in der Haupt-
straße. Vielleicht kommen wir übernächste   *the week after next*
15 Woche zu Ihnen.
HERR X: Aber das ist zu spät, Herr Meyer, wir
wollen vor dem Winter. . . . .
MEYER: Wenn Sie es so eilig haben, dann rufen Sie
doch die Dachdecker an. Die Dachdecker müssen   *roofers*
20 vor uns im Haus gewesen sein, denn sonst regnet
es auf die Rohre. Oder wollen Sie vielleicht
rostige Rohre in der Wand haben?
HERR X: Nein, nein, natürlich nicht. Also werde
ich den Dachdecker anrufen. Auf Wiederhören,
25 Herr Meyer.
MEYER: Auf Wiederhören Herr X.
(*Herr X wählt nun die Nummer des Dachdecker-
meisters.*)
SCHULZ: Hier Dachdeckermeister Schulz.
HERR X: Herr Schulz, die Handwerker in meinem
Haus warten jetzt alle darauf, daß Sie das Dach
decken. Andernfalls geht es nicht weiter.   *Otherwise*
SCHULZ: Es tut mir sehr leid, Herr X, aber wir
können im Moment gar nichts machen.
HERR X: Aber warum denn nicht?

SCHULZ: Die Zimmerleute sind noch nicht mit dem Dachstuhl fertig.

HERR X: Herr Schulz, können Sie wenigstens mit Ihrer Arbeit sofort anfangen, wenn die Zimmerleute fertig sind?

SCHULZ: Versprechen kann ich das nicht, wir haben einfach zu viel Arbeit im Augenblick.

HERR X: Bitte versuchen Sie es, bitte Herr Schulz!

SCHULZ: Na gut, versuchen will ich es.

HERR X: Danke, Herr Schulz.

(*Herr X wählt nun die Nummer des Zimmermanns.*)

KLING: Hier Kling.

HERR X: Herr Kling, ich würde gerne wissen, wann Sie mit dem Dachstuhl meines Hauses fertig sind. Oder warten Sie vielleicht noch auf einen anderen Handwerker?

KLING: Woher wissen Sie das?

I had a hunch this would happen

HERR X: Oh Gott, ich habe es geahnt.

KLING: Wir warten schon drei Wochen auf die Maurer. Wir können die schweren Balken nicht legen, bevor die Maurer mit der einen Wand fertig sind.

HERR X: Danke, Herr Kling, nun will ich versuchen, auch noch die Maurer anzurufen.

(*Herr X wählt die Nummer des Maurermeisters.*)

SCHMIDT: Hier Maurermeister Schmidt.

HERR X: Herr Schmidt, warum sind Sie noch nicht mit der einen Wand in meinem Haus fertig?

SCHMIDT: Lieber Herr X, wir können nicht weiter, bevor nicht die Elektriker die Leitungen in der Wand haben.

HERR X (*völlig erschöpft*): Danke, Herr Schmidt.

(*Herr X wählt nun keine Nummer mehr.*)

HERR X (*für sich*): Also die Maurer warten auf die Elektriker, die Elektriker auf die Installateure,

die Installateure auf die Dachdecker, die Dachdecker auf die Zimmerleute, die Zimmerleute
auf die Maurer, die Maurer auf die Elektriker,
die Elektriker auf die In . . .

5 Oh, mein Kopf ! ! !

Vielleicht hat Herr X noch einen Weg gefunden,
diesen Teufelskreis zu durchbrechen.   *vicious circle*
Unser Beispiel ist natürlich sehr theoretisch. In
Wirklichkeit muß Herr X sich mit mindestens 30
10 verschiedenen Handwerkern arrangieren, die außerdem nie Zeit haben. Handwerker, die pünktlich
kommen, wenn man sie erwartet, sind so selten
wie fünfbeinige Hunde oder weiße Mäuse, die
Klavier spielen.

FRAGEN

1. Welche ausgefallenen Berufe kann man auch heute noch in
   Deutschland erlernen?
2. Woran läßt sich erkennen, daß die Tradition im Handwerk
   besonders lebendig ist?
3. Wie sieht die normale Ausbildung eines Handwerkers aus?
4. Was unterscheidet den Handwerker vom Industriearbeiter?
5. In welchen Berufen trägt man eine besonders auffallende
   Kleidung?
6. Wozu benutzt ein Schornsteinfeger seinen eigenartigen
   Besen?
7. Weshalb berühren oft heiratsfähige Mädchen die rußige
   Kleidung eines Schornsteinfegers?
8. Welche Tatsache beweist, daß das Handwerk immer noch
   eine große Bedeutung hat?
9. Welche Handwerker sind heute besonders stark beschäftigt?
10. Warum wird das Haus von Herrn X nicht rechtzeitig fertig?

Der Manager

Der Manager ist der Mann mit den drei Telefonen, dem großen Schreibtisch und der hübschen Sekretärin. Er ist einer dieser bescheidenen und scheuen Menschen, die fest davon überzeugt sind, daß ohne sie die Firma bankrott 5 macht. Der Manager organisiert, auch wenn es nichts zu organisieren gibt. Seine Energie, sein Selbstvertrauen und sein Ehrgeiz sind beachtlich. Er trifft in der Firma die wichtigen Entscheidungen. Einige davon sind selbstverständlich falsch. Aber 10 das schadet nichts, wenn er nur ein Team von geschickten Leuten hat, die verstehen, aus jeder Sache das Beste zu machen. Schwierig wird es für ihn nur, wenn er diese Leute verärgert. Dann kann ihm passieren, was dem Dirigenten eines kleinen 15 deutschen Orchesters widerfuhr.

Der Dirigent war ein sehr ehrgeiziger, aber nicht sehr talentierter junger Mann. Er probte stundenlang mit dem Orchester, war niemals zufrieden und kritisierte nur. Da stand der erste Geiger auf 20 und meinte: «Wenn Sie so weitermachen, dann spielen wir bei der ersten öffentlichen Aufführung so, wie Sie dirigieren.»

Auch der Manager hat sein Orchester. Er ist sicherlich klug, wenn er seine Leute mit leichter 25 Hand und Takt dirigiert, statt eine Keule über ihren Köpfen zu schwingen.

Zum Image des Managers gehört es, keine Zeit zu haben und an drei Stellen zugleich zu sein.

to make the best of everything

Eventually

a club

Der Kalender eines wirklichen Managers muß
ausgebucht sein wie ein erstklassiges Luxushotel in
der Sommersaison.

Aber Manager arbeiten nicht. Sie sorgen nur
5 dafür, daß alle anderen Arbeit haben. Manche
behaupten allerdings, daß dies die schwerste
Arbeit ist. Jedenfalls werden die Manager für   *At any rate*
das, was sie tun, gut bezahlt. Ein Topmanager
kann sogar bis zu einer Million Mark im Jahr
10 verdienen.

Vor einiger Zeit fragte ein Journalist bei einer
Pressekonferenz einen sehr bekannten deutschen
Topmanager: «Stimmt es, daß Sie eine Million
Mark im Jahr verdienen?» Antwort des Managers:
15 «Wenn das stimmt, dann werde ich im nächsten   *I'll have to economise*
Jahr sehr sparsam leben müssen.»

Selbstverständlich ist dieser Topmanager eine
Ausnahme. Aber auch der durchschnittliche
Manager ist kein armer Mann. Er kann sich all
20 die schönen und teuren Dinge des Lebens leisten.
Jedoch alles, was er kauft, wird in seiner Hand zu
einem Statussymbol: sein Haus, sein Garten, sein
Auto, seine Möbel, die Juwelen seiner Frau, seine
Gemäldesammlung, seine Reisen und selbst die
25 Erziehung seiner Kinder. All das muß ihm dazu
dienen, seinen besonderen Status zu dokumen-
tieren. Prestige ist ein Zauberwort für ihn. Deshalb   *magic word*
reitet er, spielt Golf und Tennis in einem exklusiven
Klub, und er geht auf die Jagd. Kein Sport hat in   *goes hunting*
30 Deutschland eine ähnliche gesellschaftliche Bedeutung. Im Zeitalter des Feudalismus besaß allein
der Landesherr das Jagdrecht. Noch heute muß   *the right to hunt*
man in Deutschland das Jagdrecht für ein
bestimmtes Gebiet sehr teuer bezahlen. Nur
35 reiche Leute können sich das leisten. Manager

wollen zeigen, daß sie zu den Reichen gehören, daher gehen sie gerne auf die Jagd. Nicht jeder von ihnen ist allerdings ein guter Jäger.

goes hunting with

Ein Förster begleitet einen Manager auf die Jagd.

FÖRSTER: Da läuft ein Hase, schnell schießen Sie! ⁵
MANAGER: (*schießt*) Aber ich habe den Hasen gar nicht richtig gesehen!
FÖRSTER: Da sitzt er jetzt.
MANAGER: Donnerwetter, wie lädt man dieses Gewehr? ¹⁰
FÖRSTER: Sie stecken die Patrone ins falsche Loch!
MANAGER: Ach natürlich!
So, jetzt ist alles in Ordnung.
FÖRSTER: Schnell schießen Sie, sonst ist der Hase weg. ¹⁵
MANAGER (*schießt*): Habe ich getroffen?
FÖRSTER: Nein. — Sie müssen nicht beide Augen zumachen, wenn Sie zielen.
MANAGER: Aber der Knall ist so laut!

shut the ears tightly

FÖRSTER: Dann kneifen Sie einfach die Ohren zu. ²⁰
Schnell, schnell, da kommt ein zweiter Hase!
MANAGER (*schießt*): Hatte ich diesmal Erfolg?
FÖRSTER: Sicher.

scared . . . something terrible

Sie haben den Hasen mächtig eingeschüchtert.
MANAGER: (*verzweifelt*) Aber was mache ich nun? ²⁵
FÖRSTER: Fangen Sie den nächsten Hasen mit der Hand!

Manager führen ein hektisches Leben. Sie planen, organisieren und geben Impulse. Vor allem müssen sie aber darauf achten, daß keiner ihrer ³⁰ Konkurrenten ihnen den Stuhl wegzieht, auf dem sie sitzen wollen. Sie müssen am Ball bleiben, auch

44

get into trouble

wenn sie hier und da auf die Nase fallen. Für einen Mann über 45 Jahre keine leichte Sache. Sie spielen ein hartes Spiel. Nicht jeder kann das Tempo durchhalten. Und sie alle kennen und *heart attack and an ulcer* fürchten die Managerkrankheiten: den Herzinfarkt 5 und das Magengeschwür. Deshalb verbringen die Manager gern mehrere Wochen im Jahr in einem der eleganten deutschen Kurorte wie Baden-Baden, Bad Kissingen, Bad Ems, Bad Pyrmont oder Wiesbaden. Hier machen sie sich mit Heilbädern, 10 Gymnastik und Spaziergängen in den gepflegten Parks wieder fit: fit für den Kampf ums große Geld, fit für den Kampf um die Spitze.

Haben Sie schon
einen Kurschatten,
Fräulein Ingrid?

Otto, für deine
Gesundheit ist es
bestimmt gut,
daß du kalt rauchst!

Hoffentlich wird
mein Aufenthalt in
diesem exklusiven
Bad nicht zu teuer!

Der Manager-Test

Wer Manager werden will, wird häufig getestet.
Sie können bei dem folgenden Test selbst sehen,
ob Sie Talent für die Arbeit eines Managers haben.
Unterstreichen Sie die Antwort, die nach Ihrer
Meinung richtig ist:

failure
four-year's contract

I. Einer Ihrer Leute ist ein Versager. Sie können
ihn nicht entlassen, da er einen Vierjahresvertrag hat. Was tun Sie?
a) Sie verdoppeln sein Gehalt.
b) Sie überreichen ihm sein Gehalt in einer

gift package

Geschenkpackung.
c) Sie lassen alles, wie es ist.

II. Welches ist der sicherste Weg, schnell reich
zu werden?

lottery

a) Das Glücksspiel?
b) Eine Ausbildung als Taschendieb?
c) Die Heirat mit einer alten und sehr reichen
Witwe?

III. Einer Ihrer Verkäufer versucht, einer Hausfrau einen Eisschrank zu verkaufen. In der

talks incessantly to the woman

Küche redet er zwei Stunden auf die Frau ein.
Da kommt der Ehemann. Er faßt den Verkäufer beim Jackett und wirft ihn aus dem
Haus. Welche Reaktion des Verkäufers halten
Sie für die beste?
a) Der Verkäufer gibt auf und geht nach
Hause.
b) Der Verkäufer ruft die Polizei.
c) Der Verkäufer kommt durch die Hintertür
wieder in das Haus und verkauft der Frau

den Eisschrank, ohne daß der Mann etwas
merkt.

IV. Wohin sehen Sie zuerst, wenn Sie einem
Mädchen begegnen?

a) auf ihre Beine?

b) auf ihren Busen?

c) in die Brieftasche ihres Vaters?

V. Der Nachtwächter Ihrer Firma hat nachts *night watchman*
einen Traum. Er hat gesehen, wie ein Flug-
zeug, in dem Sie saßen, brennend ins Meer
stürzte. Der Nachtwächter bittet Sie deshalb,
nicht mit dem Flugzeug zur nächsten Konferenz zu fliegen. Sie nehmen ein Schiff und
erfahren bei Ihrer Ankunft, daß das Flugzeug,
das Sie ursprünglich gebucht hatten, abge-
stürzt ist. Was machen Sie bei Ihrer Rückkehr
mit dem Nachtwächter?

a) Sie schenken ihm 5000 Mark.

b) Sie entlassen ihn aus der Firma und
schenken ihm 5000 Mark.

c) Sie tun gar nichts.

Die Lösungen: **I b**   *The solutions*
                  II c
                  III c
                  IV c
                  V b (Erklärung zu **V b**: Der
Nachtwächter erhält die 5000
Mark, weil er den Manager
mit seinem Traum gerettet
hat. Er wird entlassen, weil
er als Nachtwächter nachts
geschlafen hat.)

Ein Gespräch nach Tisch

takes it for granted

Der Manager hält es für selbstverständlich, daß seine Frau ein oder zwei Hausmädchen hat. Je höher die Zahl seiner Hausangestellten, desto größer wird sein Prestige bei den Gästen sein. Aber dieser Snobismus ist teuer. Außerdem wird es immer schwieriger, jemanden für solche Arbeit zu finden.

FRAU DES MANAGERS (*zu ihrer Hausangestellten*): Lisa, Sie haben viel zu viel Salz an die Suppe getan.

LISA: Nein, gnädige Frau, es war nicht zu viel Salz, es war nur zu wenig Suppe.

FRAU DES MANAGERS: Na schön, dann tun Sie beim nächsten Mal etwas mehr Suppe ans Salz!

Did you like the roast?

LISA (*nimmt die Teller vom Tisch*): Hat Ihnen der Braten geschmeckt?

MANAGER: Wissen Sie, Lisa, ich finde, daß Sie ausgezeichnet kochen, nur legen Sie mir beim nächsten Mal statt Messer und Gabel eine

electric saw

Motorsäge für das Fleisch hin. (*Steht auf und geht aus dem Zimmer*)

LISA: Oh, das ist zu viel! Ich habe auch meine Ehre, Ich kündige! Ich kündige sofort!

FRAU DES MANAGERS: Aber Lisa, mein Mann hat doch nur gescherzt. Sie mißverstehen diesen Spaß völlig!

LISA: Nein, nein, ich kündige, das war zu viel!

FRAU DES MANAGERS: Aber Lisa, Sie haben hier doch alles, was Sie wollen: 2 eigene Zimmer, einen Fernseher, ein eigenes Telefon, ein gutes Gehalt, viel Freizeit, wenig Arbeit! Warum wollen Sie nicht bleiben?

LISA (*dramatisch*): Ihr Mann hat meine Gefühle
tief verletzt!

FRAU DES MANAGERS: Bitte Lisa, bleiben Sie, ich
bin gern bereit, Ihr Gehalt um 50 Mark zu   *I'm willing*

5   erhöhen.

LISA: Viel tiefer hat Ihr Mann meine Gefühle
verletzt!

FRAU DES MANAGERS: 80 Mark!

LISA: Meine Gefühle . . .

10 FRAU DES MANAGERS: Also gut, 100 Mark Gehaltser-   *Well then*
höhung, wenn Sie bleiben!

LISA: Gnädige Frau, Sie sind wirklich sehr freund-   *Madam*
lich zu mir. — Ich verzeihe Ihrem Mann alles
und bleibe. (*Sie verläßt den Raum.*)

15 FRAU DES MANAGERS: Hoffentlich kostet in Zukunft
nicht jeder zähe Braten so viel.

FRAGEN

1. Woran kann man einen Manager erkennen, wenn er in seinem Büro sitzt?
2. Welche Charaktereigenschaften sind für einen Manager bezeichnend?
3. Was widerfuhr dem Dirigenten eines kleinen deutschen Orchesters, als er seine Musiker zu stark kritisierte?
4. Wie sollte auch ein Manager sein Team dirigieren?
5. Wofür werden Manager gut bezahlt?
6. Wieviel kann ein Topmanager unter Umständen verdienen?
7. Welche Antwort gab ein sehr bekannter deutscher Manager, als ein Journalist ihn nach seinem Einkommen fragte?
8. Welche Dinge werden in der Hand eines Managers zu einem Statussymbol?
9. Warum gehen Manager auf die Jagd?
10. In welchen eleganten Kurorten erholen sich Manager gern von ihrer anstrengenden und hektischen Arbeit?

Der Professor

Einundzwanzig Universitäten gibt es zur Zeit in Westdeutschland. Heidelberg, das 1386 gegründet wurde, ist die älteste und Konstanz, das jetzt seine Tore zum ersten Mal für die Studenten öffnet, die jüngste. Im Unterschied zu England 5 oder den U.S.A. ist es für das Niveau einer deutschen Universität gleichgültig, ob sie vor 5 oder 500 Jahren gegründet wurde. Ein junger Medizinstudent wird zum Beispiel nicht unbedingt im romantischen Heidelberg (gegründet 1386) 10 studieren wollen, wenn mehrere der besten Professoren der Medizin in Hamburg (gegründet 1919) lehren. Und ein Physikstudent wird nicht nach Freiburg (1457) gehen, wenn in Göttingen

teaches (1737) ein Nobelpreisträger der Physik liest. Im 15 allgemeinen kann man allerdings sagen, daß sich Struktur und Niveau der einzelnen Universitäten nur wenig unterscheiden. Natürlich gewinnt manchmal an dieser oder jener Hochschule[1] eine

reputation bestimmte Disziplin einen besonders guten Ruf. 20 Das kann sich jedoch über Nacht ändern, wenn der

offer wichtigste Professor des Faches den Ruf einer anderen Universität annimmt. Eine offizielle oder

rating inoffizielle Rangordnung der deutschen Univer-

---

[1] *Hochschule :* general expression for universities and technical colleges. In Germany only institutions of higher learning which are authorized to grant academic degrees are called "*Hochschulen*".

sitäten existiert nicht. Es gibt auch keine Spitzengruppe von Hochschulen wie die Ivy League in
den U.S.A. oder wie Oxford oder Cambridge in
England. Eine deutsche Universität kann zugleich
5 in der einen Fakultät ausgezeichnet und in der
anderen nur mittelmäßig sein.

Für die berufliche Karriere eines jungen Mannes
ist es ziemlich gleichgültig, wo er sein Examen
gemacht hat. Sobald er das Staatsexamen oder
10 den Doktorgrad einer deutschen Universität in
der Tasche hat, bedeutet das für ihn Prestige und
eine <u>aussichtsreiche</u> Zukunft.   *promising*

Wer aber entscheidet, ob ein Student nach sechs,
sieben oder sogar acht Jahren Studium sein Examen
besteht?

Der Professor.

Wer bestimmt, was und wie geprüft wird?   5

Der Professor.

Er ist zweifellos eine Schlüsselfigur im Spiel um
die besten beruflichen Chancen. Seine gesellschaft-
liche Stellung könnte kaum besser sein. Und kein
Beruf oder Titel wird so respektiert wie der des   10
Professors. Umfragen ergaben, daß in der sozialen
Hierarchie die Professoren an der Spitze stehen,
danach erst kommen die Bischöfe, dann die
Minister, die Topmanager und schließlich die
Generäle. Es ist durchaus typisch, daß der ehemalige   15
Bundeskanzler Professor Ludwig Ehrhard sich
besonders freute, wenn er mit dem Titel «Herr
Professor» angeredet wurde. Unter diesen Um-
ständen überrascht es nicht, daß es ziemlich schwer
ist, Mitglied in dem exklusiven Klub der 5000   20
westdeutschen Professoren zu werden.

    Vielleicht die wichtigste Barriere, die man
überwinden muß, um auf den Stuhl eines Professors rutschen zu können, ist die Habilitation.
In den meisten Ländern genügt als Qualifikation   25
für eine Professur der Doktorgrad. In Deutschland
jedoch ist man päpstlicher als der Papst. Hier
verlangt man nach der Doktorarbeit eine zweite,
noch längere Arbeit, die Habilitationsschrift. Nur
wer die Habilitation hinter sich hat, hat die   30
Karriere eines Professors vor sich.

    Die folgende Unterhaltung zwischen zwei Assi-
stenten an einer Universität mag zeigen, wie
unbequem und langwierig es in Deutschland ist,
Professor zu werden: 35

Polls revealed

was especially glad

glide

professorship
*one is holier than the
pope*

*how involved and slow
a procedure it is*

54

LINDNER: Wie weit sind Sie mit Ihrer Habilitation, Herr Müller?

MÜLLER: Nicht besonders weit. Ich werde noch mindestens drei bis vier Jahre brauchen. — Und
5 Sie?

LINDNER: Na ja, ich habe erst vor drei Jahren meinen Doktor gemacht, aber ich hoffe wenigstens mit 35 alles hinter mir zu haben.

MÜLLER: Wissen Sie, ich verliere allmählich die
10 Geduld. Erst 13 Schuljahre, dann 8 Jahre bis zum Doktor und schließlich noch 6 Jahre bis zur Habilitation. Das ist einfach zu viel.

LINDNER: Moment mal, wenn Sie das in dieser *Just a moment*
Zeit schaffen, werden Sie immer noch ein Jahr
15 früher fertig als der Durchschnitt unserer Kollegen.

MÜLLER: Diese Zeit der Vorbereitung auf den Beruf ist wirklich zu lang. Besonders die völlige Abhängigkeit von meinem Professor macht mich *dependence*
20 nervös.

LINDNER: Als Assistent muß man ein solch dickes Fell *thick skin*
haben, daß man ohne Rückgrat stehen kann.

MÜLLER: Sie haben recht. Neulich meinte mein Professor lächelnd zu mir: «Mein lieber Müller,
25 natürlich können Sie Ihre eigene Meinung entwickeln, solange sie nicht wesentlich von meiner *does not deviate*
abweicht.» *essentially*

LINDNER: Ob viele Professoren ganz vergessen haben, daß sie selbst einmal viele Jahre lang
30 Assistenten waren?

MÜLLER: Wer auf dem Gipfel steht, sieht nicht gern nach unten. Nicht jeder Professor ist schwindel- *free from vertigo (also:*
frei. *allusion to swindle)*

LINDNER: Das mag schon sein.

35 Die deutschen Universitäten haben eine lange

55

und große Tradition. Jedoch mit der wachsenden Zahl der Studenten und der enormen Entwicklung der modernen Wissenschaften wurde die alte Form der Universität problematisch. Früher konnte ein Professor sich ausschließlich seiner Wissenschaft 5 und seinen Studenten widmen. Heute sind seine Verwaltungsaufgaben so zahlreich und kompliziert, daß er manchmal mehr Manager als Wissenschaftler ist. Der Typ des zerstreuten Professors, der ganz in seiner Arbeit lebt und alles andere darüber 10 vergißt, stirbt allmählich aus.

Dennoch sind die Anekdoten und Geschichten gerade über diesen Typ besonders zahlreich. Gern erzählt man zum Beispiel die authentische Geschichte von einem berühmten Professor der 15 Medizin, dessen Spezialgebiet die Hygiene war. Bei einem großen Diner, zu dem er eingeladen worden war, gab es als Dessert frische Kirschen. Sorgfältig tauchte er jede einzelne Kirsche in ein Glas mit Wasser, bevor er sie aß. Natürlich fragten 20 ihn die anderen Gäste nach dem Grund für sein eigenartiges Verhalten. Der Professor erklärte nun in einem ausführlichen Vortrag, warum es unhygienisch sei, frisches Obst ungewaschen zu essen. Von dem langen Reden wurde ihm aber der Mund 25 so trocken, daß er gedankenlos nach dem Wasserglas griff und es mit einem Male austrank.

Typisch ist auch folgende Anekdote von einem Professor der Mathematik, der zum Friseur ging. Während er intensiv über ein mathematisches 30 Problem nachdachte, schnitt ihm der Friseur die Haare, leider viel zu kurz. Erst als der Professor bezahlen wollte, sah er in den Spiegel. Gleich setzte er sich wieder auf den Stuhl und sagte zu dem Friseur: «Bitte etwas länger.» 3[5]

administrative tasks

absent-minded professor

dipped

behavior

was

Only when

Es ist auch erstaunlich, wie stark solche Anek- *firmly*
doten das konventionelle Bild des Professors
geprägt haben. Für viele Leute ist er immer noch
der im Alltag unbeholfene Mann, dessen Aufmerk- *clumsy*
5 samkeit einzig und allein auf seine Wissenschaft
gerichtet ist. Sie sehen ihn als Idealisten, der
selbstlos nur für seine Forschung lebt. Doch dieses
Bild ist sicherlich etwas einseitig. Die Mehrzahl
der Professoren weiß die Privilegien, die Macht
10 und Autorität, die mit ihrer Stellung verbunden
sind, sehr wohl zu schätzen. *to appreciate*

FRAGEN

1. Warum ist es schwer oder sogar unmöglich, eine Rangordnung der deutschen Universitäten aufzustellen?
2. Was ist für die berufliche Karriere eines jungen Mannes ziemlich gleichgültig?
3. Weshalb kann ein Professor als Schlüsselfigur im Spiel um die besten beruflichen Chancen bezeichnet werden?
4. Welche soziale Stellung hat ein Professor in Deutschland?
5. Wie qualifiziert man sich in Deutschland für eine Professur?
6. Wodurch wurde die traditionelle Form der deutschen Universitäten problematisch?
7. Weshalb kann sich heute ein Professor nicht mehr ausschließlich seiner Wissenschaft und seinen Studenten widmen?
8. Woran läßt sich in den zwei Anekdoten erkennen, daß die beiden Professoren zerstreut sind?
9. Wie stellen sich auch heute noch viele Leute einen Professor vor?
10. Was weiß aber die Mehrzahl der Professoren sehr wohl zu schätzen?

Der Student

subjects

It is . . . up to him

wants to attend (lectures)

Vielleicht in keinem Land hat ein Student so viel Freiheit wie in Deutschland: Er kann in den meisten Fächern seinen Studienplan selbst aufstellen. Niemand zwingt ihn dazu, Vorlesungen zu besuchen. Es liegt ganz an ihm, wann er Examen 5 machen will. — Der eine braucht vielleicht acht Jahre für ein bestimmtes Studium, während es ein anderer in fünf Jahren schafft. — Will er die Universität wechseln, so kann er das ohne irgendwelche Schwierigkeiten am Ende eines Semesters 10 tun. Ein mehrfacher Wechsel der Universität ist durchaus normal, da viele möglichst die besten Professoren verschiedener Hochschulen hören wollen. Jedem Studenten stehen die Vorlesungen aller Fakultäten offen. Wer zum Beispiel Philosophie 15 studiert, aber einige interessante medizinische oder juristische Vorlesungen hören möchte, kann das jederzeit tun. Einen Campus wie in Amerika oder England gibt es nicht. Es ist ganz dem Studenten überlassen, wo und wie er wohnen will. Weder die 20 Universität noch die Professoren kontrollieren den Studenten in seinem Privatleben.

Diese außergewöhnliche Freiheit ist für die meisten Studenten faszinierend. Sie stehen nicht mehr unter dem direkten Einfluß des Elternhauses 25 oder der Schule. Sie sind selbständige Bürger der Universität, die die meisten wichtigen Entscheidungen selbst treffen müssen.

Aber diese Freiheit hat auch eine Kehrseite. *its disadvantages*
Kein Tutor, kein Instructor, kein Dean of Students
hilft ihnen. Sie selbst tragen die volle Verantwortung für ihr Studium. Mühsam und manchmal
5 verzweifelt sucht sich der Anfänger seinen Weg,
der sehr oft nur ein Umweg ist. Noch wichtiger *detour*
mag für den jungen Mann sein, daß er sich auf
einmal allein in einer fremden Stadt befindet. Er
wird vielleicht ein oder zwei Jahre brauchen, bis
10 er neue Freunde gefunden hat; denn erst langsam
entwickeln sich Wohnheime und Studentendörfer *student homes*
in größerer Zahl, die verhindern, daß die Studenten
allein und isoliert in den Universitätsstädten
wohnen. Hinzu kommt, daß der Student bald *In addition*
15 merken wird, daß es nahezu unmöglich ist, in
persönlichen Kontakt mit seinen Professoren zu
kommen. Zu 600 Hörern in einer Vorlesung oder
zu 200 Studenten in einem Seminar kann selbst
der wohlmeinendste Professor kein persönliches
20 Verhältnis gewinnen. Die Zahl der Professoren
steht zu der Zahl der Studierenden in einem *is grossly disproportionate*
krassen Mißverhältnis. Nur sehr wenige Fächer *in relation to*
machen hier eine Ausnahme.

Wie es zum Beispiel in der philosophischen
25 Fakultät aussieht, mag folgendes Gespräch zwischen
zwei Studenten zeigen:

(*A sitzt mit etwa 55 Studenten vor dem Sprechzimmer
eines Professors. Er wendet sich an einen älteren
Studenten neben ihm.*)

30 A: Ich versuche nun schon drei Wochen lang
Professor Meyer zu sprechen, aber es gelingt
mir einfach nicht.

B: Welches Semester sind Sie? *In which term*

A: Zweites.

B: Dann geben Sie es auf. Sehen Sie, ich bin im zwölften Semester, aber in den sechs Jahren habe ich bisher nur fünf Minuten mit Professor Meyer gesprochen.

(for emphasis)

A: Aber ich muß <u>doch</u> endlich wissen, wie ich 5 mein Studium planen soll!

B: Mein Gott, sind Sie naiv. Das müssen Sie selbst machen.

A: Aber wie soll ich die wichtigen von den unwichtigen Dingen unterscheiden? 10

B: Studieren Sie erst mal ein paar Jahre. Vor dem Examen werden Sie dann merken, was wichtig oder unwichtig ist.

A: Ist es dann nicht zu spät?

B: Natürlich, aber die ersten Semester sind bei jedem verlorene Zeit.

A: Könnten Sie mir nicht wenigstens einen Hinweis geben, auf welches Gebiet ich mich konzentrieren soll?

B: Lesen Sie jedes Buch von Professor Meyer dreimal vorwärts und dreimal rückwärts. *forwards and backwards* Oder noch besser: Studieren Sie Medizin.

A: Warum gerade Medizin?

B: In der Medizin fällt kaum jemand durch. Außerdem haben Sie dort wenigstens einen festen Studienplan.

A: Aber die Mediziner haben leider auch einen Numerus clausus. *quota system*

Prof. Dr. Meyer

Für besonders talentierte Studenten werden solche Schwierigkeiten keine große Rolle spielen. Doch der Durchschnittsstudent vermißt die individuelle Beratung und die helfende Hand des Lehrers. Es ist kein Zufall, daß die Zahl der Studenten, die ihr Studium vorzeitig aufgeben oder durchs Examen fallen, recht hoch ist. Im Examen hat die überwältigende Mehrheit der Studenten zum ersten Mal Gelegenheit, sich mit einem richtigen Professor längere Zeit zu unterhalten. Hierbei kommt es dann allerdings zu einem sehr ungleichen Dialog. Der eine fragt nur nach dem, was er schon weiß, und der andere muß antworten auf das, was er meist nicht weiß. Für manchen Studenten ist das Resultat eines solchen Gesprächs nicht sehr ermutigend; besonders wenn der Professor am Schluß feststellt, daß der Kandidat durchgefallen ist. Und gelegentlich bewahrheitet sich in solchen Situationen das alte Sprichwort: "Wer den Schaden hat, braucht für den Spott nicht zu sorgen."

Dafür zwei Beispiele: Ein Professor der Physik sieht in der Prüfung, daß ein Student nur sehr wenig weiß. Nach kurzer Zeit steht für ihn fest, daß der Kandidat die Prüfung nicht bestehen wird. Dennoch sagt er zu dem jungen Mann: "Ich denke, daß Sie selbst gemerkt haben, daß Ihre Antworten ungenügend waren. Aber ich will Ihnen eine letzte Chance geben. Wenn Sie genau definieren können, was Elektrizität ist, dann haben Sie das Examen bestanden." Der Kandidat überlegt einen Augenblick und sagt dann: "Herr Professor, es tut mir sehr leid, daß ich darauf nicht antworten kann. Gestern habe ich es noch gewußt, aber im Moment kann ich mich einfach

nicht mehr daran erinnern." "Was für ein Unglück für uns Physiker", meint daraufhin der Professor, "niemand konnte bisher das Problem befriedigend lösen. Doch nun hatten wir endlich
5 einen gefunden, der uns eine Antwort hätte geben können, aber der hat alles vergessen."

Oder es passiert einem Medizinstudenten, daß er in der Prüfung bei einem sehr starken Medikament eine viel zu hohe Dosis <u>angibt</u>. Spontan   *prescribe*
10 verläßt daraufhin der Professor den Prüfungsraum. Der Student merkt selbst, daß er sich geirrt hat. Schnell läuft er hinter dem Professor her und sagt: "Entschuldigen Sie, Herr Professor, aber die Dosis mußte natürlich sehr viel geringer sein."
15 «Zu spät», antwortete der Professor, «der Patient ist bereits tot.»

Doch mancher Student weiß auch in solchen Situationen durch Witz und Selbstironie zumindest den Spott der anderen zu vermeiden. So zum
20 Beispiel ein junger Philologe, der vor seinem Examen von einem Onkel gefragt wird: «<u>Na,</u>   *Well* Herbert, wie oft bist du eigentlich schon durchs Examen gefallen?» Antwort des Neffen: «Zusammen mit morgen dreimal Onkel.»
25 Prüfungen sind <u>eine scheußliche Sache,</u> be-   *a horrible thing* sonders wenn man sie nicht besteht. Wie schön dagegen war das Studium noch vor zwei oder dreihundert Jahren. Damals besuchte ein junger Herr die Universität, um sich zu bilden und den
30 letzten <u>gesellschaftlichen Schliff</u> zu bekommen,   *ultimate social polish* aber nicht um Examina zu bestehen. Doch diese Zeiten sind für immer vorbei, <u>und das soll schon</u>   *and . . . is said to have* <u>mancher durchgefallene Kandidat</u> bedauert haben.   *regretted it*

FRAGEN

1. Woran läßt sich erkennen, daß ein deutscher Student tatsächlich viel Freiheit bei seinem Studium hat?
2. Weshalb wechseln viele Studenten die Universität?
3. Aber welche Nachteile hat die akademische Freiheit an deutschen Hochschulen?
4. Wodurch kommt es, daß die Mehrheit der Studenten nur wenig gesellschaftlichen Kontakt an der Universität findet?
5. Weshalb kann ein Professor kein persönliches Verhältnis zu seinen Studenten gewinnen?
6. Was vermißt der Durchschnittsstudent an einer deutschen Universität?
7. Welche Gelegenheit bietet sich für die meisten Studenten im Examen zum ersten Mal?
8. Wann ist das Resultat eines solchen Gespräches für den Studenten sehr unerfreulich?
9. Wie heißt das alte Sprichwort, das sich in der Situation des Examens gelegentlich bewahrheitet?
10. Weshalb besuchte ein junger Mann vor 200 Jahren die Universität?

Der Berliner

«Ich bin ein Berliner.»

(John F. Kennedy am 26.6.1963 in seiner Rede vor dem
Schöneberger Rathaus in Westberlin)

Der Wiener pflegt mit Charme bei einer
schweren Krise zu sagen: Die Situation ist hoffnungslos, aber nicht ernst. Dagegen ist für den
Berliner die Situation vielleicht ernst, aber niemals
5 hoffnungslos. Der Berliner resigniert nie. Welche
Stadt hat in so kurzer Zeit so viele politische
Krisen so gut überstanden? 1945 bestand die
Hauptstadt des Reiches nur noch aus Rauch und   *smoke and rubble*
Trümmern. 1948 kam die Berlin-Blockade der
10 Russen, 1953 der Zusammenbruch des Aufstandes
in Ostberlin, 1958 das Berlin-Ultimatum
Chruschtschows und 1961 der Bau der Mauer
zwischen Ost- und Westberlin. Und trotzdem
haben die Berliner ihre Stadt mit Berliner Tempo
15 wieder aufgebaut. Aber noch wichtiger: sie haben
niemals ihren Humor verloren. Auf dem Höhepunkt der Berlin-Blockade erzählten sie sich diese
Geschichte: Ein Ostberliner Dackel trifft in
Westberlin einen Dackel. Der Westberliner Dackel
20 fragt: «Wie geht es dir im Osten? Hast du genug
zu fressen?» Der Ostberliner Dackel: «Ja, mit
dem Essen bin ich ganz zufrieden.» Der Westberliner Dackel: «Aber warum bist du nach

Westberlin gekommen?» Der Ostberliner Dackel:
«Ich wollte auch einmal bellen.»

Seit dem Mauerbau (1961) sind die Ver-   *building of the wall*
bindungen zwischen Ost- und Westberlin nahezu
5 völlig abgerissen. Heute kann selbst ein Dackel
nicht mehr von Ost- nach Westberlin. Eine direkte
Telefonverbindung zwischen beiden Teilen der
Stadt existiert nicht. Von Westberlin ist ein Telefongespräch nach Honolulu leichter zu arrangie-
10 ren als ein Gespräch nach Ostberlin. Selbst die
Briefe von Westberlin nach dem Osten werden
häufig kontrolliert. Die Berliner erzählen, daß ein
Westberliner an seinen Bruder in Ostberlin einen
Brief schickte, in dem er schrieb:

15 Lieber Bruder!
Wir haben uns so lange nicht gesehen. Wie geht es Dir
und Deiner Familie? Bist Du mit Eurer kommunistischen
Regierung zufrieden? Lieber Bruder, auf meine letzte
Frage erwarte ich keine aufrichtige Antwort, da ich ja
20 weiß, daß im Osten die Post kontrolliert wird. Hoffent-
lich können wir uns bald einmal wiedersehen.
Herzliche Grüße!
Dein Bruder

. . . .

Eine Woche später erhielt der Herr in West-
25 berlin seinen Brief zusammen mit einem Schreiben
der ostdeutschen Verwaltung zurück. In dem   *East German authorities*
Brief der ostdeutschen Verwaltung stand:

Sehr geehrter Herr!
Wir schicken Ihnen den Brief zurück, da Sie darin
30 behaupten, daß in Ostberlin die Post kontrolliert wird.
Das ist in keiner Weise wahr.
Hochachtungsvoll   *Yours very truly*

Der Berliner ist schlagfertig, seine witzigen
Bemerkungen kommen blitzschnell.
Der Süddeutsche sagt jedoch vom Berliner, daß
er einen solch großen Mund hat, daß er den
Spargel quer essen kann. Die folgende Geschichte
illustriert das:

Ein Berliner Tourist kommt nach Bayern. In
einem Dorf geht er zum Bäcker, um sich frische
Brötchen zu kaufen. Als der Berliner sieht, wie
klein die Brötchen sind, sagt er zum Bäcker:
«Mann, von den Brötchen stecke ich drei auf
einmal in den Mund.» Der Bäcker antwortet:
«Das tut mir leid, mein Herr, aber Ihr Berliner
Mund ist einfach zu groß.» Daß in dieser
Geschichte nicht der Berliner das letzte Wort hat,
zeigt, daß sie von einem Süddeutschen erfunden
wurde. Normalerweise bleibt der Berliner keine
Antwort schuldig. Wer eine dumme Frage stellt,
bekommt die passende Antwort. Ein Beispiel
dafür:

Ein Berliner fährt mit seinem Fahrrad gegen
einen Stein und fällt hin. Ein Passant geht an
ihm vorbei und fragt: «Entschuldigen Sie, sind
Sie hingefallen?» Antwort des Berliners: «Nein,
mein Herr, ich pflege immer so abzusteigen.»
Vor dem Kriege kamen viele neue Bürger der
Stadt aus Schlesien und Sachsen. Damals erzählte man, daß ein kleiner Junge seinen Vater
fragte: «Vater, wo bist du geboren?» Antwort
des Vaters: «In Breslau, mein Junge.»
Der Junge: «Und wo wurde Mutter geboren?»
Der Vater: «In Dresden.»
Der Junge: «Was für ein Zufall, daß wir drei uns
hier in Berlin getroffen haben.»

remarks

*can eat asparagus
sideways*

*the Berliner is never at a
loss for an answer*

I'm in the habit of

What a coincidence

68

Alle diese neuen Bürger aus Schlesien und
Sachsen wurden schnell echte Berliner.

Auch heute noch fühlt sich ein Fremder in
Berlin nach drei Tagen mehr zu Hause als nach drei
5 Generationen in Oberbayern. Der Süddeutsche
braucht für alle Dinge mehr Zeit. Bevor der Bayer
einmal Wurst gesagt hat, hat sie der Berliner
schon gegessen. Das «Berliner Tempo» ist in
Deutschland ein fester Begriff.   *acknowledged concept*

Berliner Tempo

10 AUGUST: (*Betritt das Restaurant und sieht seinen Freund
an einem der Tische sitzen, er eilt auf ihn zu.*) Guten
Tag, Orje, wie geht's? Was macht deine
Familie?

ORJE: Och, gestern hat meine Frau ihr Gebiß im   *denture*
15 Grunewald verloren und mir hat eben mein
Chef gekündigt, aber sonst geht's mir ausgezeichnet.

AUGUST: Na ja, Hauptsache du bist gesund, und
deine Frau hat Arbeit.   *your wife has a job*

20 ORJE: Komm setz dich!

AUGUST: Ich habe es eilig, ich will nur schnell
etwas trinken. Herr Ober! Herr Ober!

KELLNER: Jawohl, mein Herr!

AUGUST: Eine Weiße mit Schuß bitte!   *light beer with a dash of*
25 KELLNER: Sofort.   *raspberry syrup*

AUGUST: Durst ist schlimmer als Heimweh.

ORJE: Ich sage immer, wer lange trinkt, der lebt lange.

KELLNER: Ihre Weiße, mein Herr.

AUGUST: Ich möchte gleich zahlen (*zahlt*). Der Rest ist für Sie.

Keep the change

ORJE: Prost August!

AUGUST: Prost Orje!

ORJE: (*bietet seinem Freund eine Zigarre an*): Zigarre?

AUGUST: Nein danke, keine Zeit für eine Zigarre. Außerdem rauche ich nicht mehr.

ORJE: Seit wann?

AUGUST: Seit gestern.

ORJE: Na, dann heb die Zigarre bis morgen auf.

AUGUST: Nein, nein, auf keinen Fall.

ORJE: Wie oft hast du schon mit dem Rauchen aufgehört?

AUGUST: Viermal.

ORJE: Also bis jetzt dreimal wieder angefangen. Steck lieber die Zigarre ein.

AUGUST: Danke Orje, aber ich muß los, in einer halben Minute fährt meine U-Bahn.

ORJE: Wiedersehen August!

AUGUST: Wiedersehen Orje!

ORJE (*sieht auf seine Uhr*): Donnerwetter, wo bleibt der Ober mit meinem Schnitzel? Jetzt warte ich schon viereinhalb Minuten darauf; (*ruft ungeduldig*) Herr Ober! (*noch ungeduldiger*) Herr Ober! (*Der Ober, der an diesem Tische bedienen muß, eilt herbei.*)

how long have you been working

ORJE: Herr Ober, wie lange arbeiten Sie schon in diesem Restaurant?

KELLNER: Eine Woche.

ORJE: Dann kann ich das Schnitzel nicht bei Ihnen bestellt haben.

KELLNER: Aber mein Herr, ein Schnitzel braucht mindestens 5 Minuten!

ORJE: Ich sitze hier wie <u>auf glühenden Kohlen</u>! *on pins and needles* Eine U-Bahn, zwei Busse und drei Taxis habe ich schon verpaßt. Wenn Sie sich nicht beeilen, dann <u>setze ich</u> hier noch <u>Schimmel an</u>! *I'll develop mildew*

KELLNER: Ich will tun, was ich kann. Aber vielleicht zahlen Sie schon und gehen. Das Schnitzel schicke ich Ihnen per Luftpost nach!

ORJE: Wir wollen nichts überstürzen. Außerdem habe ich ja noch anderthalb Minuten Zeit.

KELLNER: Sie werden Ihr Schnitzel sofort bekommen, mein Herr!

ÄLTERER HERR VOM NEBENTISCH: Wissen Sie, dieser Ober ist erst seit einer Woche in Berlin, der muß sich erst an unser Tempo gewöhnen. ₅

ORJE: Ach so!

(Berliner Vater und Sohn in einer Münchner Straßenbahn)

KIND: Papa, warum verstehe ich nicht, was die Leute hier sagen? ₁₀

VATER: Die Leute sprechen hier ihren bayrischen Dialekt!

KIND: Sprechen die Franzosen auch bayrischen Dialekt?

VATER: Wie kommst du auf diese Idee? ₁₅

KIND: Die Franzosen verstehe ich auch nicht.

VATER: Nun hör mal gut zu. Die Franzosen sprechen Französisch und die Bayern Bayrisch.

KIND: Und wir Berliner?

VATER: Wir sprechen selbstverständlich Deutsch. ₂₀

KIND: Dann sprechen die Bayern kein Deutsch?

VATER: Doch mein Junge, die Bayern sprechen auch Deutsch.

KIND: Aber weshalb verstehe ich sie dann nicht?

VATER: Die Bayern sprechen Deutsch und Bayrisch. ₂₅

KIND: Ach, dann sind die Bayern zweisprachig?

VATER: Nein, mein Junge, das Bayrische ist keine Fremdsprache, das klingt nur so. Das Bayrische ist ein deutscher Dialekt. ₃₀

KIND: Aber warum sprechen die Dialekt?

BAYER *(der die Unterhaltung mit angehört hat)*: Um sich von den Saupreußen aus Berlin zu unterscheiden!

72

has only been

I see

listen to me

Yes

die = sie

dirty Prussians

FRAGEN

1. Was sagte John F. Kennedy am 26.6.1963 in Berlin?
2. Woran wird deutlich, daß ein richtiger Berliner niemals resigniert?
3. Was pflegt dagegen der Wiener in einer ernsten Krise zu sagen?
4. Weshalb war der Ostberliner Dackel nach Westberlin gekommen?
5. Seit wann sind die Verbindungen zwischen Ost- und Westberlin fast völlig abgerissen?
6. Wie lautete der Brief, den die ostdeutsche Verwaltung an den Herrn in Westberlin schrieb?
7. Was behauptet der Süddeutsche vom Berliner?
8. Wer hatte in der Geschichte von dem süddeutschen Bäcker und dem Berliner das letzte Wort?
9. Welche kleine Geschichte beweist, daß der Berliner schlagfertig ist?
10. Wird sich ein Fremder in Berlin oder in Oberbayern schneller zu Hause fühlen?

Der Niedersachse

Ein typischer Norddeutscher ist der Niedersachse: steif, korrekt, ordentlich und humorlos.
Das behaupten wenigstens die Süddeutschen.
Aber die Süddeutschen sind unzuverlässig. Und
5 das behaupten die Niedersachsen. Nun, wir
wollen uns in diesen Streit nicht einmischen.
Doch das ist sicher: Will man einen Niedersachsen
zum Freund gewinnen, muß man zuerst einen
Sack Salz mit ihm gegessen haben. Etwas schneller
10 mag es gehen, wenn man mit ihm bei einem
guten Glas Korn zusammensitzt. Beim Schnaps
ist selbst der Niedersachse gemütlich.
    1773 zählte der berühmte Göttinger Professor
Lichtenberg 104 deutsche Synonyme für das Wort
15 «betrunken». Aber in Niedersachsen fand der
Professor 159 solcher Synonyme. Offensichtlich
ist das Trinken eine wichtige Sache für den
Niedersachsen, über die er auch gern spricht.
    Um ungestört diesem Hobby nachgehen zu
20 können, feiert man in Niedersachsen jedes Jahr
das Schützenfest. Schon vor mehr als 200 Jahren
beschwerte sich der König von Hannover über
die wilde Art, wie seine Untertanen dieses Fest
feierten. Nichtsdestoweniger ist die Tradition des
25 Schützenfestes ehrwürdig und lang. Ursprünglich
war es ein Wettschießen der Bürgerwehr, bei dem
der beste Schütze einen Preis errang und Schützenkönig wurde. Auch heute noch gehört das Wettschießen zu jedem Schützenfest. Wie es vielen

At least, that's what.
claim

to get involved
However ... if one wants to

over a drink Schnaps:
type of hard liquor
congenial

In order to pursue
... without
interference
riflemen's festival

shooting contest
National Guard
champion shot

How ... feel

Leuten jedoch nach einem solchen Fest geht, mag
der folgende Dialog zeigen:
Am Morgen nach dem Schützenfest treffen sich
zwei Bauern auf der Straße.

WILHELM: Guten Tag, August, wie bist du nach ₅
dem Schützenfest ins Bett gekommen?

AUGUST: Das weiß ich nicht mehr so genau. Aber
mein Bett hat sich gedreht wie die Flügel einer
Windmühle. Mir ist jetzt noch schwindlig.

WILHELM: Ja, man sieht's, du bist ganz weiß im ₁₀
Gesicht.

AUGUST: Aber denk dir, Wilhelm, ich habe
außerdem alles doppelt gesehen. Ich ging durch
zwei Haustüren auf vier Beinen und fiel neben
einen Stuhl mit acht Beinen. ₁₅

WILHELM: Aber weiße Mäuse hast du keine
gesehen?

AUGUST: Nein, nur meine Frau . . . (faßt sich mit
beiden Händen an den Kopf)

WILHELM: Was war mit deiner Frau? ₂₀

AUGUST: Meine Frau hatte sich auch verdoppelt.

WILHELM: Großer Gott, das muß ein Schock
gewesen sein.

AUGUST: Ja, ja, die ganze Nacht habe ich mir den
Kopf zerbrochen, weshalb ich noch eine zweite ₂₅
Frau geheiratet hatte.

WILHELM: Ein Glück, daß ich Junggeselle bin.

AUGUST: Aber nun sag mal, Wilhelm, wie hast du
denn geschlafen?

WILHELM: Schlecht, ich hatte etwas zu viel ₃₀
gegessen.

AUGUST: Ja, Wilhelm, du hast gegessen wie ein
Pfarrer bei der Kindtaufe. Du hast bei Tisch
schwerer gearbeitet als zwei Pferde vor dem
Pfluge. ₃₅

*I don't remember so
well anymore*

have seen . . . double

What was the matter

I racked my brains

How lucky

at dinner

WILHELM: August, essen macht Spaß, viel essen
macht viel Spaß!

AUGUST: Aber trinken ist noch schöner als essen.

WILHELM: Darüber kann man streiten.   *That's a moot point*

5 AUGUST: Nur jetzt nicht, Wilhelm, ich muß in den
Stall und die Kühe füttern, sonst kommt meine
Frau und holt mich mit dem Besen.

WILHELM: Langsam, August, langsam, die Arbeit   *easy, easy*
ist kein Hase, die läuft nicht weg.

10 AUGUST: Ich weiß, Wilhelm, aber versuch das   *just try*
einmal meiner Frau zu erklären!

WILHELM: Lieber nicht!

AUGUST: Na, dann auf Wiedersehen!

WILHELM: Auf Wiedersehen August!

15 Wer aber glaubt, daß Niedersachsen immer
so viel reden wie diese beiden Bauern, der
täuscht sich gründlich. Im allgemeinen sind
die Niedersachsen mundfaul. Das zeigt die   *taciturn*
folgende Unterhaltung:

20 (*Ein Polizist spricht einen Bauern vor dem Bahnhof*   *addresses*
einer Kleinstadt an:)

POLIZIST: Entschuldigen Sie, mein Herr, Sie
können hier Ihren Traktor nicht stehen lassen,
hier ist Parkverbot.

25 BAUER: Das interessiert mich nicht.

POLIZIST: Na, hören Sie mal, ich habe Sie freundlich angeredet, da können Sie wenigstens
freundlich antworten. Sie dürfen Ihren Traktor
hier auf keinen Fall parken. Oder wollen Sie   *under no conditions*
30 einen Strafbefehl- bekommen?   *ticket*

BAUER: Nein.

POLIZIST: Sehen Sie, wir verstehen uns. Sie   *each other*
brauchen Ihren Traktor nur 20 Meter die

Straße weiter hinaufzufahren, dort ist ein
Parkplatz.

BAUER: Nein.

POLIZIST: (*verliert die Geduld und füllt einen Straf-*
befehl aus): Es tut mir leid, aber offensichtlich 5

there is no other way geht es nicht anders. Hier ist Ihr Strafbefehl,
Sie müssen sofort 5 DM zahlen.

BAUER: Nein.

POLIZIST: Wenn Sie nicht zahlen, dann wird Ihr

towed away Traktor hier weggezogen. 10

BAUER: Das ist mir egal.

POLIZIST: Na gut, dann rufe ich die Garage an,
und Sie bleiben hier, bis Ihr Traktor abge-
schleppt worden ist.

BAUER: Unmöglich! Dann verpasse ich meinen 15
Zug.

POLIZIST: Was? Sie können nicht einfach den Zug

leave us with nehmen und uns den Traktor hierlassen!

Yes, I can BAUER: Doch.

POLIZIST: Aber Mann, dann fahren Sie doch bitte 20

after all erst den Traktor auf den Parkplatz, es sind ja
nur 20 Meter!

BAUER: Nein.

POLIZIST: Aber warum denn nicht?

BAUER: Weil der Traktor mir nicht gehört. 25

Eine kleine skandalöse Chronik

Typische Niedersachsen findet man natürlich nicht nur auf dem Lande. Ebenso niedersächsisch sind die Einwohner von Städten wie Hannover, Braunschweig, Hildesheim oder Göttingen. In der
5 langen und interessanten Geschichte Niedersachsens haben gerade die Städte eine besonders wichtige Rolle gespielt. So war zum Beispiel die heutige Landeshauptstadt im 18. und 19. Jahrhundert der Mittelpunkt des damaligen Königreiches

Just as typical Lowersaxonians

especially

Hannover. Aus dem Hannover jener Tage stammt auch diese kleine skandalöse Chronik einer *rather important* nicht ganz unbedeutenden Familie aus Niedersachsen.

In jeder Familie gibt es Skandale, doch sie werden in der Regel vergessen oder ignoriert. Ganz anders war es in der Familie, von der wir hier erzählen wollen. Ihre Skandale hatten Folgen, die keiner mehr übersehen konnte. Alles begann damit, daß vor dreihundert Jahren eine sehr charmante Französin den Herzog Georg Wilhelm aus dem Hause Hannover anlächelte. *a middle-aged gentleman* Georg Wilhelm war ein Herr in mittleren Jahren, der spürte, daß es für ihn Zeit wurde, sich nach einer festen Freundin umzusehen. Deshalb erwiderte er das Lächeln der attraktiven jungen Dame. — Es dauerte nicht lange, da brachte seine französische Freundin ein kleines Mädchen zur Welt, das die frohen, aber unverheirateten Eltern Sophie Dorothea nannten. Sophie war ein hübsches und intelligentes Kind, dem seine Eltern zu seinem neunten Geburtstag eine besondere Freude machten: sie heirateten. 10 Jahre hatte Georg Wilhelm gebraucht, um sich und seine große Familie in Hannover von der Notwendigkeit dieser Heirat zu überzeugen. *Und das war wirklich ein Skandal.*

Fünf Jahre später mußte die arme Sophie ihren Vetter, den Prinzen Georg Ludwig, heiraten. Sophie war erst 14 Jahre alt, aber sie gehorchte ihrem Vater, der diese politische Heirat arrangiert *She did not live very happily with* hatte. Viel Freude hatte sie nicht an ihrem Ehemann. Georg Ludwig liebte die Frauen, aber seine eigene Frau vergaß er. — Zu dieser Zeit machte

der gut aussehende Graf Königsmarck in seiner
Offiziersuniform auf alle Damen bei Hofe großen   *at court*
Eindruck. War es unter diesen Umständen verwunderlich, daß Sophie die Komplimente des
5 charmanten Grafen recht gern hörte? Lange Zeit   *loved to listen to*
blieb die Liebe zwischen Königsmarck und Sophie
ein Geheimnis, aber schließlich entdeckte der Hof
die ganze Affäre. Sophie wurde von ihrem Ehemann
Georg Ludwig geschieden, nachdem man den Gra-
10 fen Königsmarck nachts im Schlosse zu Hannover
ermordet hatte. *Und das war wirklich auch ein
Skandal.*
Dem betrogenen Georg Ludwig genügte jedoch   *deceived*
diese Strafe nicht. Er verurteilte Sophie außerdem
15 zu lebenslänglicher Gefangenschaft auf einem
kleinen Schloß in Norddeutschland. Aber warum
war der untreue Ehemann so wütend über die
Untreue seiner Frau? Nun, die Antwort ist   *unfaithfulness*
einfach. Sophie hatte zwei Kinder zur Welt
20 gebracht. Jetzt mußte Georg fürchten, daß nicht
er, sondern Königsmarck der Vater dieser Kinder
war. *Und so etwas ist natürlich ein Skandal.*
Einige Jahre später kam dieser Georg als
Georg I.[1] auf den englischen Thron. Hannover
25 und Großbritannien hatten von nun an nur noch
einen gemeinsamen Herrscher, keinen besonders
guten Herrscher, aber die Engländer wußten das
zu der Zeit noch nicht. Georg I. wurde in London
mit großem Pomp als der neue König empfangen.

---

[1] *The Kurfürst of Hannover (Kurfürst* = Elector, one of the
high ranking noblemen to take part in choosing the Holy
Roman Emperor) mounted the throne of England in
1714 as George I. Although Hannover and England
remained politically completely independent, they now
had one and the same sovereign.

Jedoch Georg enttäuschte die Londoner gleich von Anfang an. Statt einer Ehefrau brachte er zwei Mätressen mit. *Und das wiederum hielten viele Engländer für einen Skandal.*

Georg I. regierte in Hannover und England, so 5 gut er konnte. Dasselbe tat sein Sohn Georg II., der aber — wir erinnern uns — sehr wahrscheinlich sein Sohn nicht war. In seinen moralischen Ansichten war der sogenannte Sohn nicht besser als sein sogenannter Vater. Doch sprach Georg II. 10 wenigstens ein paar Worte mehr Englisch als sein Vorgänger. Viel Glück hatten die Engländer mit ihren Königen aus Hannover nicht, auch nicht mit Georg III., dem Enkel Georg II. . Georg III. versuchte, ein guter König zu sein, 15 aber in seine Regierungszeit fiel die Trennung der amerikanischen Kolonien von England. Georg III. war einfach nicht der Mann, diese Trennung zu verhindern.

Und das mochte vielleicht kein Skandal sein, 20 aber es war sicherlich bedauerlich. Denn dadurch blieb Amerika bis in unser Jahrhundert von Europa getrennt.

Dieser Abschnitt aus einer niedersächsischen Familienchronik mag uns zeigen, daß auch kleine 25 Dinge große Folgen haben können:

ohne das kleine Lächeln der Französin
keine Liebe zwischen ihr und Herzog Georg Wilhelm,
ohne die Französin und Georg Wilhelm 30
keine Sophie
ohne Sophie und Königsmarck
kein Georg I. von England,
ohne Georg II.
kein Georg III., 35

mistresses

moral views

However

were not very lucky

reign

that might perhaps not have been a scandal

ohne Georg III.

keine Trennung der amerikanischen Kolonien
von England,

ohne Trennung von England

5   keine Vereinigten Staaten.

Wir fassen zusammen:

Ohne die kleine Affäre eines Niedersachsen mit
einer charmanten Französin gäbe es heute keine   *there would be*
Vereinigten Staaten.

FRAGEN

1. Was behaupten die Süddeutschen von den Norddeutschen?

2. Ist es sehr leicht, einen Niedersachsen zum Freund zu gewinnen?

3. Wann wird selbst ein Niedersachse gemütlich?

4. Was war das Schützenfest ursprünglich?

5. Wie nennt man den besten Schützen?

6. Was geschah mit dem Grafen Königsmarck, als seine Liebe zu Sophie entdeckt worden war?

7. Welcher König regierte England und Hannover zum ersten Mal in Personalunion?

8. Wie wurde Georg in London empfangen?

9. Was hielten viele Engländer für einen Skandal?

10. Welches wichtige geschichtliche Ereignis fiel in die Regierungszeit Georg III.?

Der Rheinländer

Jede deutsche Landschaft hat ihren besonderen Charakter. Ein Niedersachse unterscheidet sich ebenso von einem Berliner wie ein Berliner von einem Rheinländer, und in Süddeutschland ist ohnehin alles anders. Natürlich hat auch jede Landschaft ihren eigenen Humor. Die Witze, die man sich in den einzelnen Teilen Deutschlands erzählt, sind recht verschieden. Im Rheinland zum Beispiel lacht man über die beiden

anyway

5

Mit Volldampf voraus!

GRIFFEL

Kölner Typen Tünnes und Schäl am meisten. Tünnes und Schäl sind echte Rheinländer. Sie leben nicht, um zu arbeiten, sie arbeiten, um zu leben.

Als beide einmal keinen Pfennig mehr in der Tasche haben, entschließen sie sich, bei einer Baufirma zu arbeiten. Am Abend ihres ersten Arbeitstages wollen sie in ihrem <u>Schubkarren</u> etwas Bauholz mit nach Hause nehmen. Tünnes wird ein paar Minuten früher fertig als Schäl. Aber er ist zu faul, den schweren Schubkarren nach Hause zu schieben. An den Schubkarren hängt er deshalb einen kleinen Zettel, auf den er schreibt:

Lieber Schäl!
Nimm bitte den Schubkarren mit nach Hause. Ich habe ihn leider vergessen.
<u>Herzliche Grüße</u>
Dein Tünnes

Als Schäl den Zettel liest, nimmt er einen Bleistift und schreibt unter die Worte von Tünnes:

Lieber Tünnes!
Ich habe leider den Schubkarren nicht gefunden.
Herzliche Grüße
Dein Schäl

Die harte Arbeit ist sicherlich nicht im Rheinland erfunden worden. Und das Laisser aller[1] der französischen Nachbarn kennt der Rheinländer auch. Anstatt <u>sich totzuarbeiten,</u> geht er lieber einmal zum Rheinufer, um zu fischen.

Der Rhein ist sicherlich ein schöner Fluß, aber das Wasser des Rheins ist <u>alles andere als</u>

---

[1] *laisser-aller* = (French: let go) absence of constraint, relaxed carefree attitude.

rein. In diesem Gemisch von Dreck, Sand und
etwas Wasser kann ein Maulwurf eher überleben   *mole*
als ein Fisch. Nichtsdestoweniger angeln die
Leute immer wieder im Rhein. Rheinländer sind   *are simply*
5 eben Optimisten.
Auch Tünnes und Schäl stehen eines Abends am
Rheinufer und fischen. Schäl hält seine Angel
ins Wasser. Plötzlich zieht etwas an der Leine.
Er holt seinen Fang vorsichtig ans Land.
10 Was ist es? Ein rostiger Teekessel. Nach einer
Viertelstunde zieht wieder etwas an der Leine.
Diesmal hat Schäl eine alte Tasse am Haken.
Aber er gibt nicht auf und angelt weiter. Es dauert   *goes on fishing*
eine halbe Stunde, dann reißt es erneut an seiner
15 Leine.
Diesmal holt er eine zerbrochene Kaffeekanne
aus dem Wasser.
Bislang hat Tünnes nichts gesagt. Jetzt zieht er
den Schäl am Arm und sagt: «Hör auf Schäl!
20 Da unten wohnt einer.»
Etwas Selbstironie muß man schon haben, wenn   *(for emphasis)*
man im Rhein fischt. Für einen Archäologen ist
das Angeln im Rhein wahrscheinlich interessanter
als für einen Fischer.
5 Kein deutscher Fluß hat eine solch bewegte   *lively*
Vergangenheit wie der Rhein. Kelten, Römer
und Germanen badeten genauso in dem Fluß
wie die Soldaten Napoleons oder der Preußen.
Und schon vor 100 000 Jahren wusch sich der
0 Neandertaler² seine großen Füße in dem damals
noch sauberen Rhein.

---

²*Neandertaler* = Middle Paleolithic man known from skeletal
   remains found in the Neandertal, a valley in western
   Germany.

Das romantische Rheinland

emanates history

Jeder Fußbreit Boden <u>atmet</u> im Rheinland
Geschichte. Selbst der moderne Besucher kann
sich dem historischen Charme des Rheintales
nicht entziehen, wenn er mit dem Dampfer an den
vielen Burgruinen, den Schlössern und mittelalter- 5
lichen Städtchen vorbeifährt. Hunderte von <u>Sagen</u>
und Legenden verbinden sich mit den Burgen,
die wie <u>Raubvogelnester</u> an den Bergen kleben.
Und an hellen Mondnächten sehen Gespenster
mit langen, weißen Nachthemden aus den toten 10
Fenstern der Ruinen. Wer als Tourist etwas Glück
hat, der kann sogar noch nach Mitternacht
beobachten, wie ein grüner Ritter mit einem
schüchternen, mittelalterlichen Fräulein hinter
den Mauern einer Burg verschwindet. Die meisten 15
dieser Gespenster sind harmlos. Nur muß man
sich daran gewöhnen, daß sie ihren Kopf unter
dem Arm tragen. Natürlich tun das alle Gespenster
sehr gern, aber im Rheinland hat das noch einen
besonderen Grund: 20

Im Mittelalter saßen auf den Burgen im Rheintal
<u>Raubritter</u>. Diese Herrn waren so eine Art von
<u>Gentlemen-Gangstern</u>. Sie kontrollierten die
Straßen, die an ihren Burgen vorbeiführten und
forderten <u>Zoll</u>. Mancher reiche Kaufmann mußte 25
allerdings so viel zahlen, daß ihm nichts blieb als
sein Hemd und das Leben.

<u>Auf die Dauer ging das</u> natürlich <u>nicht gut.</u>
Kaum einer der Raubritter starb in einem
bequemen Bett. Viele von ihnen wurden gefangen- 30
genommen und geköpft. Aber die Seelen dieser

sagas

perches of birds of prey

robber-barons

demanded a toll

In the long run things did not work out too well

Raubritter waren so zäh, daß sie als kopflose *went on living as*
Gespenster durch die Jahrhunderte weiterlebten. *headless ghosts*
Wen wundert es, daß unter diesen Umständen
viele Leute den Rhein für einen sehr romantischen
5 Strom halten? Und wer ist überrascht, daß der
Rhein in der Literatur der deutschen Romantik
eine besondere Rolle spielt?

Bonn und Köln

Nur die Rheinländer selbst sind recht unroman-
tisch. Sie haben dafür Humor und einen klaren *sharp sense of reality*
10 Sinn für die Wirklichkeit. Bei keiner Gelegenheit
zeigt sich das mehr als im Karneval. In den
Narrensitzungen[1] und während der großen Um-
züge in Köln und Mainz lachen die Rheinländer
über sich und all die anderen. Sie feiern die
15 «verrückten Tage» des Karnevals mit einer *crazy days*
Ausgelassenheit, die dem Norddeutschen immer
fremd und unverständlich bleiben wird. Und
selbstverständlich ist der Karneval auch die
Zeit, in der man all die verspottet, die Geld und
20 Macht im Lande haben. Besonders die Bonner
Politik liefert dabei immer neues Material.
Als Bonn 1949 Hauptstadt der Bundesrepublik
wurde, hielten das bereits viele für einen Karne- *many considered this in*
valsscherz. Denn außer einem feuchten Klima und *itself*
25 einer mittelmäßigen Universität hatte Bonn nichts

---

[1] *Narrensitzungen* = performances during the carnival in
which the main political and social events of the year are
satirized.

zu bieten. Beethoven[2] war auch schon 122 Jahre tot. Jedoch Konrad Adenauer, der damalige Bundeskanzler, hielt Bonn für die beste Wahl. Er wohnte nämlich in unmittelbarer Nähe dieser Stadt. Nur langsam und mühsam wuchs Bonn in seine neue Rolle.

grew into its new role

Neben Bonn spielt Köln im Rheinland eine besondere Rolle. Köln gehört zu den größten und wichtigsten Städten der Bundesrepublik. Selbst Leute, die noch nie dort gewesen sind, kennen zumindest das Wahrzeichen dieser Stadt, den Kölner Dom, auf den die Kölner natürlich besonders stolz sind. Eine lange Reihe von Generationen baute 600 Jahre lang an dieser großen und schönen Kirche. Tausende von Geschichten verbinden sich mit dem Dom, von denen wir wenigstens eine erzählen wollen:

landmark

for 600 years

Ein russischer Ingenieur kommt nach Köln. Er nimmt sich ein Taxi und sagt zu dem Fahrer: «Hier haben Sie 20 DM, fahren Sie mich etwas in der Stadt umher, ich möchte mir ein paar bedeutende Bauwerke Ihrer Stadt ansehen.»

I should like to have a look at

Der Taxichauffeur fährt zunächst zur ältesten Kirche Kölns. Der Russe ist keineswegs von der Schönheit dieses mittelalterlichen Baus beeindruckt. Er fragt nur: «Wie lange haben die Kölner an der Kirche gebaut?» «Na», meint der Taxichauffeur, «so ungefähr 50 Jahre.» Der Russe antwortet darauf nur: «In der Zeit bauen wir in Sibirien eine ganze Großstadt auf.» Der Taxifahrer ärgert sich natürlich über die Antwort des Russen. Aber er sagt nichts und fährt

just about

is annoyed

[2]Beethoven was born in Bonn (1770).

weiter. Nach einer Viertelstunde kommen sie zu der sehr modernen und langen Rheinbrücke. Auch jetzt fragt der Russe: «Na, wie lange haben Sie an dieser Brücke gebaut?» «Ungefähr fünf
5 Jahre», antwortet ihm der Kölner. «Ach», meint der Russe, «das machen unsere Ingenieure in *our engineers do that sort* fünf Monaten.» Diesmal ärgert sich der Taxi- *of thing* chauffeur noch mehr über den Russen, doch er sagt auch jetzt nichts und fährt ins Zentrum der
10 Stadt. Nach 10 Minuten kommen sie aus einer kleinen und engen Seitenstraße plötzlich auf den Domplatz. Als der Russe aussteigt, steht er direkt vor den riesigen Türmen des Kölner Doms. Einen Augenblick ist er überrascht und beein-
15 druckt, aber dann fragt er doch: «Wie lange *but then he cannot* haben die Kölner an dem Dom gebaut?» Der *help asking* Taxifahrer zuckt die Achseln und meint: «Genau *shrugs his shoulders* kann ich das nicht sagen. Aber eins ist sicher, als ich gestern abend hier vorbeifuhr, stand er noch *not yet*
20 nicht.»

FRAGEN

1. Über welche beiden Typen lacht man im Rheinland am meisten?
2. Was tut Schäl, als er den Zettel von Tünnes gelesen hat?
3. Welchen Rat gibt Tünnes seinem Freund, als Schäl einen rostigen Teekessel, eine alte Tasse und eine zerbrochene Kaffeekanne aus dem schmutzigen Wasser des Rheins gefischt hat?

4. Weshalb ist eine Fahrt mit einem Rheindampfer so interessant?
5. Warum stehen die Burgen der Raubritter an besonders engen Stellen des Rheintals?
6. Was geschah mit vielen Raubrittern?
7. Wen verspottet man zur Zeit des Karnevals besonders?
8. Wie feiert man «die verrückten Tage» des Karnevals im Rheinland?
9. Wann wurde Bonn zur Hauptstadt der Bundesrepublik?
10. Was antwortet der Taxichauffeur dem russischen Ingenieur auf seine Frage: «Wie lange haben die Kölner an dem Dom gebaut?»

Der Bayer

Die Gegensätze zwischen den Bayern und
Norddeutschen sind erheblich. Bayern und Preußen
unter einen Hut zu bringen, war immer eine
schwierige Aufgabe. Das ist nicht erstaunlich,
5 wenn man bedenkt, daß zum Beispiel ein typischer
Niedersachse einem Holländer viel ähnlicher ist
als einem Bayern. Und viele Norddeutsche
können einen Bayern nicht von einem Österreicher unterscheiden. Völlig unmöglich ist es
10 jedoch, einen Norddeutschen mit einem Bayern
zu verwechseln. Und so überrascht es nicht, daß
es gelegentlich zwischen den Süddeutschen und
Norddeutschen eine ziemliche Antipathie gibt.
Für die Bayern sind alle Deutschen, die nördlich
15 des Mains wohnen, Preußen. Sie nennen sie auch
gerne Saupreußen. Die Norddeutschen hingegen
sehen mit Arroganz auf ihre konservativen
Landsleute im Süden herab. Sie meinen: Die
Bayern können ja noch nicht einmal richtig
20 Hochdeutsch sprechen; wie soll man sich da mit
ihnen verständigen? Vor allem die Berliner sind
der Meinung, daß sie den schwerfälligen Bayern
immer um eine Nasenlänge voraus sind. Deshalb
erzählt man sich auch in Berlin gern folgenden
25 Witz:

*(Zwei Berliner sitzen in der U-Bahn und lesen
Zeitung.)*
UWE: Du, Karl, sieh mal her!

to bring together

*speak High German
properly*

a step ahead of

KARL: Bitte stör mich nicht, ich lese gerade den Sportteil.

UWE: Aber sieh doch mal den Artikel auf der letzten Seite!

What does it say there?

KARL: Was steht denn da drin? 5

UWE: Die schreiben, daß im Jahr 2 000 die Welt untergeht.

KARL: Ja, ja, das habe ich auch schon gelesen.

UWE: Und was sagst du dazu?

end of the world

KARL: Na, ich weiß schon, wie ich den Weltunter- 10 gang überleben kann.

UWE: Und wie?

KARL: Ich fahre nach Bayern.

UWE: Warum gerade nach Bayern?

KARL: Die Bayern sind doch immer hinter der 15 Zeit zurück. Dort geht die Welt sicherlich auch erst ein paar Jahre später unter.

München

Doch so mancher Berliner wundert sich, wenn er in die elegante und moderne Metropole Bayerns kommt. München verbindet die urbane 20
metropolis
Atmosphäre einer Weltstadt mit dem rustikalen Charme eines Dorfes. Keine Stadt der Bundesrepublik wächst schneller als München, das sich gerade mit Elan auf die Olympischen Spiele
slowly but surely
1972 vorbereitet. Und langsam aber sicher 25 übernimmt München auch die Rolle einer heimlichen Hauptstadt der Bundesrepublik. Für Berlin, Hamburg, Frankfurt oder Düsseldorf wird
compete
es immer schwerer, mit München zu konkurrieren.

Das war nicht immer so. 1876 schrieb ein
Franzose etwas sarkastisch: «Der rasche Temperaturwechsel macht München zur Hauptstadt
des Rheumatismus. Im Zentrum der Stadt
stützt ein Haus das andere, um nicht auf die Passan- *supports*
ten zu fallen. In den Gasthäusern steckt man die
gebrauchten Zahnstocher wieder an ihren alten *toothpicks*
Platz, und der Rauch in den Cafés ist so dicht, daß
man das Hemd wechseln könnte, ohne seinen
Nachbarn zu stören.»
Nun, das sind nicht gerade Komplimente für
Bayerns Hauptstadt. Aber es ist charakteristisch
für München, daß es Kritik verträgt. Viele seiner *tolerates criticism*
schärfsten Kritiker sind auf die Dauer sogar gute
Münchner Bürger geworden. Fremde assimiliert
die Stadt in kurzer Zeit. Gegenwärtig sind nur
noch zwei von fünf Einwohnern der Stadt
Original-Münchner. Ein Glück, daß das die
Urbayern meist nicht wissen. Einen echten *staunch Bavarians*
bayrischen Patrioten muß vor allem die starke
Immigration aus dem Norden schockieren. Aber
wie verwirrend wird es erst für einen Alt-Münch-
ner, wenn er daran denkt:
daß München 1158 von einem Niedersachsen
gegründet wurde,
daß das berühmte Münchner Bockbier ur- *strong dark type of beer*
sprünglich aus Niedersachsen importiert wurde,
daß das Modell für die riesige Statue der
Bavaria eine Hamburgerin war
und daß das populärste Münchner Lied («In
München steht ein Hofbräuhaus») von einem
Norddeutschen geschrieben wurde.
Aber kaum ein richtiger Bayer weiß von diesen
Dingen, und wenn er zufällig davon hört, dann *if he happens to hear about them*
ignoriert er sie.

Auch im vorigen Jahrhundert sahen es die Bayern nicht gern, daß ihre Könige anfingen, norddeutsche Schriftsteller, Architekten, Maler und Komponisten nach München zu holen. Ludwig II. ließ zum Beispiel den Sachsen Richard Wagner nach München kommen. Der großzügige König stellte dem Komponisten enorme Summen für seine Opern- und Theaterpläne zur Verfügung. Aber den Bayern wurde der Spaß zu teuer, und sie zwangen den König, sich von Wagner zu trennen. Der Komponist mußte gehen, jedoch Ludwig begann nun mit dem Bau romantischer Schlösser, die wie riesige, steinerne Kulissen zu den Opern Richard Wagners aussahen. Kein Wunder, daß am Ende des Jahrhunderts der bayrische Staat vor dem Bankrott stand. Dennoch verlor der romantische König Ludwig nie ganz die Sympathie seiner Untertanen. Und das beweist sicherlich, daß die Bayern im Grunde gutmütig sind. Richtige Revolutionäre waren sie jedenfalls nie. Sie schlugen höchstens Radau, als 1843 der Bierpreis von vier auf sechs Kreuzer stieg. Und Mitte des vorigen Jahrhunderts gab es eine kleine Unruhe unter den Bürgern, weil eine Tänzerin — sie war die Geliebte des Königs — in Bayern die Politik machen wollte. Das war ein Skandal, aber kein Grund, eine Revolution zu inszenieren.

Und die folgende kleine Begebenheit konnte sich nur in Bayern oder Süddeutschland ereignen. In Preußen war so etwas ganz unmöglich:

1848 wurde München von einer harmlosen Revolution erfaßt. Einige Revolutionäre wollten sogar das Arsenal der Stadt stürmen, um sich zu bewaffnen. Ein angesehener Bürger hatte das

But the Bavarians found his shenanigans too costly

backdrops in stone

At the most they kicked up a row (small coin) there was a small disturbance

In 1848 Munich was seized with

96

gesehen. Er lief sofort zur Wache und sagte
aufgeregt zu einem Soldaten:

BÜRGER: Ich muß sofort Ihren Offizier sprechen!
SOLDAT: Immer langsam, mein Herr, zuerst muß
5 ich Ihren Namen wissen.
BÜRGER: Ich bin der Bankdirektor Obermayer,
bitte beeilen Sie sich, ich will Ihren Offizier
auf der Stelle sprechen!   *this very moment*
SOLDAT: Daß *Sie* den Herrn Major sprechen
10 wollen, das glaube ich! Aber weiß ich, ob der
Herr Major auch *Sie* sprechen will?
BÜRGER: Mein Gott, da draußen ist eine Revolu-   *there is a revolution*
tion im Gange!   *going on outside*
SOLDAT: Mein Herr, Sie müssen sich irren. In
15 Bayern gibt es keine Revolutionen. Außerdem
sind wir hier nicht für Revolutionen zuständig.
(*Der Offizier kommt verschlafen aus der Tür des* *sleepy-eyed*
Nachbarzimmers.)
OFFIZIER: Was ist hier los?
20 BÜRGER: Schnell, schnell, Herr Major, Sie
müssen Militär zum Arsenal schicken!
OFFIZIER: Warum denn, mein Lieber?
BÜRGER: Die Revolutionäre wollen das Arsenal
stürmen!
25 OFFIZIER: Ach, das sieht schlimmer aus, als es ist.
BÜRGER (*zeigt aus dem Fenster*): Aber Herr
Major! Sehen Sie dort, die kommen schon
bewaffnet aus dem Arsenal.
OFFIZIER: Unsinn, mein Lieber, das ist ganz
30 unmöglich, ich habe die Schlüssel zu den Türen
ja hier in meiner Tasche.   *(for emphasis)*

Die Bierwette

Daß man in Bayern Bier trinkt, dürfte überall in der Welt bekannt sein. Wer aber eine Idee bekommen möchte, wieviel Bier ein rechter Bayer trinken kann, der muß zum Oktoberfest nach München fahren. In riesigen Zelten sitzt man 5 hier beisammen, ißt, trinkt und singt aus Leibeskräften. Und zu all dem blasen mit viel Geräusch die bayerischen Kapellen. Die Bierkrüge sind so groß, daß ein erwachsener Mann Angst davor bekommen kann. Jedoch ein guter Bayer fürchtet 10 sich nicht vor vier oder sogar fünf dieser Krüge an einem Abend.

Vor einigen Jahren saßen vier gute Bayern vom Lande mit einem Österreicher in einem der Oktoberfestzelte zusammen. Jeder hatte schon 15 drei der großen Bierkrüge geleert, als der Österreicher meinte: «Ich wette, daß ich mit meinem Freund an einem Abend so viel Bier trinke wie Sie alle zusammen.» «Unmöglich», riefen alle, die am Tisch saßen. Selbstverständlich nahmen 20 sie die Wette an. Am nächsten Abend kamen sie wieder zusammen, um die Sache zu entscheiden. Aber wie erstaunt waren die Bayern, als der Österreicher mit einem schweren Ochsen daherkam. «Nun, das ist mein Freund», meinte er. 25 Ohne Mühe trank der Ochse seine drei Eimer Bier aus. Und damit hatten selbst die vier Bayern keine Chance mehr, die Wette zu gewinnen. Aber das war wahrscheinlich die einzige Bierwette, die ein Ausländer in den letzten hundert 30 Jahren in Bayern gewonnen hat.

get scared

to decide the matter

Without any effort

Zwei bayrische Dialoge

I

margin: orders his apprentice

(*Ein Maurermeister gibt seinem Lehrling den Auftrag, Bier zu holen.*)

MEISTER: Georg, komm mal her!

LEHRLING: Ja, Meister, was soll ich tun?

MEISTER: Hier ist ein Bierkrug. Geh in die nächste 5

margin: inn

Wirtschaft und hol' mir einen Liter Bier zum Frühstück.

LEHRLING: Ja, Meister.

MEISTER: Mach aber den Krug ordentlich sauber, da war gestern Wasser drin. 10

II

Der Tourismus ist für Bayern sehr wichtig. Vor allem die Norddeutschen fahren gern in die bayerischen Alpen. Jedes Jahr lassen sie viel Geld in diesem südlichsten Land der Bundesrepublik.

(*In einem Dorf in der Nähe von München stehen zwei* 15

margin: talk together

Bauern zusammen und unterhalten sich.)

JOSEF: Franz, weißt du, wie groß der Hof vom Huber ist?

FRANZ: Ja, der Hof ist ziemlich groß.

JOSEF: Aber genau weißt du es nicht? 20

margin: Yes, I do

FRANZ: Doch, ganz genau. Der Huber hat vier Pferde, zwölf Kühe, zwanzig Schweine und sechs Preußen als Sommergäste.

Karl Valentin
oder
Auch ein bayrischer Typ

Vielleicht in keinem anderen Teil Deutschlands spielt man so gern und so viel Theater wie in Bayern. Die vielen ausgezeichneten Bühnen Münchens beweisen das. Vor allem ist aber in
5 Bayern noch die Tradition des Bauerntheaters lebendig. Die Stücke dieser Bauernbühnen sind natürlich im Dialekt geschrieben. Durch ihren vitalen Humor bringen sie selbst hoffnungslos *make . . . laugh* melancholische Leute zum Lachen. Der typische
10 Bayer geht nicht ins Theater, um ein tragisches Debakel zu sehen. Und allein der bayerische *mess* Dialekt läßt schon aus einer Tragödie eine Komödie werden.

Niemand kannte die komische Wirkung des
15 bayerischen Dialektes besser als der große Münchner Schauspieler Karl Valentin. Doch bei ihm wurden aus den simplen Dialogen des Volkstheaters kleine Grotesken, die ebenso absurd wie komisch wirkten. Wenn Valentin auf der Bühne
20 stand, wurden die einfachsten Dinge schrecklich kompliziert. Die Logik in seinen bayerischen Dialogen verwirrte sich wie ein endloser Bind- *got hopelessly tangled up* faden, bei dem man schließlich nicht mehr wußte, was hinten und vorne war. Wer allerdings seine *beginning or end*
25 Dialoge liest, ohne ihn selbst gehört und gesehen zu haben, dem geht es wie einem Blinden, der über Farben redet.

Aber Valentin war nicht nur auf der Bühne komisch.

Eines Tages nahm er die Straßenbahn, um zum Stachus zu fahren. Er hatte ein großes Bündel Bananen in der Hand, das er neben sich auf den Sitz legte. Vorsichtig holte er eine Tüte mit Zucker aus seiner Tasche. Dann machte er die Schale der ersten Banane ab, zuckerte die Banane sorgfältig und warf sie in den Papierkorb. Als Valentin das auch mit der zweiten und dritten Banane tat, fragte ihn der Schaffner: «Hören Sie mal, warum werfen Sie die Bananen in den Papierkorb?» «Wissen Sie», meinte da der Valentin, «ob Sie es glauben oder nicht, ich mag keine gezuckerten Bananen.»

Oder bei anderer Gelegenheit saß Valentin wieder in der Straßenbahn und erzählte einem Bekannten: «Wissen Sie, als ich hier vor 40 Jahren als Baby auf dem Arm meiner Mutter lag, sah ich auch aus diesem Fenster. Es war damals Winter und Schneeflocken fielen vom Himmel. Aber gerade als ich meiner Mutter sagen wollte, sieh mal, die schönen Schneeflocken, da fiel mir ein, daß ich noch nicht sprechen konnte.»

Über so viel bayerische Logik kann der Norddeutsche nur lachen, aber der Bayer schmunzelt darüber.

peeled

sugar-coated

I realized

grins

5

10

15

20

25

FRAGEN

1. Weshalb sehen die Norddeutschen mit einer gewissen Arroganz auf ihre konservativen Landsleute im Süden herab?

2. Welcher Meinung sind vor allem die Berliner?
3. Worauf bereitet sich München zur Zeit mit großem Elan vor?
4. Welche Rolle übernimmt München langsam, aber sicher?
5. Wie äußerte sich 1876 ein etwas sarkastischer Franzose über München?
6. Was muß einen echten bayerischen Patrioten schockieren?
7. Warum zwangen die Bayern ihren König, sich von Richard Wagner zu trennen?
8. Weshalb stand der bayerische Staat am Ende des vorigen Jahrhunderts vor dem Bankrott?
9. Was geschah 1848 in München?
10. Wie groß sind die bayerischen Bierkrüge?

Wörterverzeichnis

ab off, away; **auf und ab** up and down

der **Abend, -s, -e** evening; **heute Abend** tonight

das **Abendessen, -s, -** supper

abends in the evening

die **Abendtoilette, -n** evening attire, formal dress

das **Abenteuer, -s, -** adventure

der **Abenteurer, -s, -** adventurer

aber but, however; yet

der **Aberglauben, -s** superstition

der **Abhang, -(e)s, ¨e** slope

ab/hängen, i, a to depend on, upon; to hinge on

die **Abhängigkeit, -en** dependence

ab/machen to take off; to peel; to settle

ab/reisen to leave, depart, take off

ab/reißen, i, i to tear off, break off

ab/schleppen, (ein Auto) to drag off, away; to tow away (a car)

der **Abschnitt, -(e)s, -e** section; chapter

absolvieren to do, complete; to aquit oneself of

ab/steigen, ie, ie to descend; to climb down; to get off, down

ab/weichen, i, i to deviate (from)

ach ah

die **Achsel, -n** shoulder; **mit den Achseln zucken** to shrug one's shoulders

achten (auf) to pay attention (to)

achtstöckig eight-storied

die **Affäre, -en** affair

aha I see!; Is that so!

ahnen to anticipate; to have a hunch; **Ich habe es geahnt!** I knew it!

ähnlich similar, like, alike

der **Alkoholiker, -s, -** alcoholic

all das all that

alle all

allein alone, lonely; however; exclusively

allerdings to be sure; however

allerlei (of) all sorts, all kinds

alles everything, all; **alles andere als** anything but

allgemein general, common; **im allgemeinen** in general, generally speaking

allmählich gradual; by and by

der **Alltag, -s, -e** working day; **im Alltag** in everyday life, commonly

allzu viele all too many

die **Alpen** the Alps

als as; than; when

also hence, consequently, therefore; thus, so; **also gut** well then

alt old, ancient; **an seinem alten Platz** in its usual place

die **ältere Dame** elderly lady; **ein älterer Herr** an elderly gentleman

die **älteren Studenten** the older students

am = an dem

der **Amateur, -s, -e** amateur

das **Amerika** America

der **Amerikaner, -s, -** the American

amerikanisch American
an on, at, in
der Anarchist, -en, -en anarchist
anderer other, different
ändern to change, alter; sich ändern to become different
andernfalls else, otherwise
die Anekdote, -n anecdote
der Anfang, -s, ⸚e beginning, opening, outset, start; gleich von Anfang an from the very beginning, from the first
an/fangen, ä, i, a to begin, start; Ohne diesen Besen könnte ich nichts anfangen I couldn't do a thing without this broom
der Anfänger, -s, - beginner; novice, freshman
an/geben, i, a, e to indicate, state, report; to prescribe; den Ton angeben to set the fashion
an/hören to listen to
die Angel, -n fishing-rod
die Angelegenheit, -en matter, affair; business
angeln to fish
angesehen highly esteemed, well respected
die Angst, ⸚e anxiety, fright, fear; Angst bekommen to get frightened; Angst haben vor to be afraid of
die Ankunft, ⸚e arrival
anlächeln to smile at
annähernd almost, close to; approximately
an/nehmen, i, a, o to accept; to expect; to adopt, take on, assume

der Anorak, -s, -s (Scandinavian type) sport jacket
an/reden to address (in words), talk to
an/rufen, ie, u to phone, call up
an/sehen, ie, a, e to look at; to view, look over
an/setzen to form, develop; Schimmel ansetzen to develop mildew
die Ansicht, -en opinion, view
an/sprechen, i, a, o to talk to, speak to, address (somebody)
anstatt instead (of)
ansteckend contagious, infectuous
anstrengend strenuous
die Antipathie, -n dislike, antipathy
die Antwort, -en answer, reply, response
antworten to answer, reply, respond to
der Anzug, -s, ⸚e (man's) suit, dress; attire
an/zweifeln to doubt, question, contest
die Arbeit, -en job, work; das ist eine längere Arbeit this is a bigger job; harte Arbeit labor, hard labor; bei der Arbeit at work
arbeiten to work
der Arbeiter, -s, - workman, laborer
die Arbeiterklasse, -n working class
der Arbeitstag, -(e)s, -e working day, weekday
der Archäologe, -n, -n archeologist

iv

der **Architekt, -en, -en** architect

ärgern to vex, annoy, trouble; **sich ärgern** to get annoyed, angry

der **Arm, -(e)s, -e** arm; branch **arm** poor, miserable

arrangieren to arrange

die **Arroganz, -** arrogance

das **Arsenal, -s, -e** arsenal

die **Art, -en** sort, type; way; species

der **Artikel -s, -** article; item

assimilieren to assimilate

der **Assistent, -en, -en** assistant

der **Atem, -s** breath; **den Atem anhalten** to hold one's breath

atmen to breathe; inhale

die **Atmosphäre, -n** atmosphere

die **Atombombe, -n** atom bomb, atomic bomb

auch also, too; likewise; **auch wenn nicht** even if not; **auch nicht** neither

auf on, upon, in, at

auf/bauen to build, build up, construct

auf/binden, a, u to tie up; **jemandem einen Bären aufbinden** to hoax a person, play a practical joke

auf/fallen, ä, ie, a to attract attention, be striking

auffallend striking, strange; gaudy

die **Aufführung, -en** performance, presentation, production

die **Aufgabe, -n** task, job; assignment

auf/geben, i, a, e to give up, in; to resign

aufgeregt excited; upset

auf/heben, o, o to keep; to lift, take up; to annul

auf/hören to cease, stop

auf/machen to open; to make up

die **Aufmerksamkeit, -en** attention; attentiveness

aufrichtig sincere, frank

der **Aufstand, -(e)s, ⁻e** revolt, rebellion, riot

auf/stellen to set up, put up; to erect

der **Auftrag, -(e)s, ⁻e** order, instruction; commission

das **Auge, -s, -n** eye; eyesight

der **Augenblick, -s, -e** instant, moment; **im Augenblick** presently, at the moment

aus from, out of, of, by

aus out, over, done with

aus/bilden to train, educate; to form

die **Ausbildung, -en** education, training

aus/brechen, i, a, o to break out

der **Ausdruck, -(e)s, ⁻e** expression, term; sign

ausführlich detailed, exhaustive; fully, in detail

aus/geben, i, a, e to spend

ausgebucht fully booked

ausgefallen strange, outlandish, eccentric, unusual

aus/gehen, i, a go out, go places; to turn out; **die Sache könnte schlimmer ausgegangen sein** the matter could have turned out worse

die **Ausgelassenheit** exuberance, hilarity
ausgezeichnet excellent, outstanding, distinguished
die **Auskunft,** ⁔e information
der **Ausländer, -s, -** foreigner
die **Ausnahme, -n** exception; exemption
aus/schließen, oß, ssen to exclude, exempt
ausschließlich exclusively, solely
aus/sehen, ie, a, e to look, appear
außer apart from, except for, beside(s); in addition to
außerdem furthermore, moreover; besides
außergewöhnlich unusual, extraordinary
(sich) **äußern** to voice, express (one's opinion)
aussichtsreich promising, full of promise
aus/steigen, ie, ie to get off, out; to descend
aus/sterben, i, a, o to die out, become extinct
aus/trinken, a, u to empty (a glass); to drink up
authentisch authentic
das **Auto, -s, -s** automobile, car
die **Autobahn, -en** speedway, superhighway, autobahn
das **Autofahren, -s** driving
der **Autofahrer, -s, -** motorist, driver
die **Autokolonne, -n** line of cars
die **Automation** automation
die **Autorität, -en** authority
die **Autotour, -en** automobile trip, drive, ride
der **Autounfall, -(e)s,** ⁔e automobile accident

der **Bäcker, -s, -** baker; **beim Bäcker** at the baker's
das **Bad, -es,** ⁔er bath; spa
baden to take a bath; to bathe
die **Bahn, -en** road, way; course; **U-Bahn = Untergrundbahn** subway; **mit der Bahn fahren** to travel by train
der **Bahnhof, -s,** ⁔e railroad station
bald soon
der **Balken, -s, -** beam; joist
der **Ball, -(e)s,** ⁔e ball; **am Ball bleiben** to be on the ball
die **Banane, -n** banana
der **Bankdirektor, -s, -en** bank director, manager
der **Bankrott, -(e)s** bankruptcy, insolvency
der **Bär, -en,- en** bear; **jemandem einen Bären aufbinden** to hoax a person, play a practical joke
die **Barriere, -n** barrier, obstacle
der **Bau** construction, erection
der **Bau, -(e)s, die Bauten** building, structure, construction
der **Bauch, -(e)s,** ⁔e belly, paunch
bauen to build, construct
der **Bauer, -n** (*or* **-s**), **-n** peasant, farmer
das **Bauerntheater, -s, -** popular form of theater dealing mainly with farm life
die **Baufirma, die Baufirmen** contractor, building enterprise
das **Bauholz, -es, -hölzer** lumber, wood

das **Bauwerk, -(e)s, -e** edifice, building, structure

der **Bayer, -n, -n** Bavarian (person)

bayrisch Bavarian

das **Bayern** Bavaria

beachtlich remarkable, considerable

bedauerlich regrettable, to be regretted, deplorable

bedenken, bedachte, bedacht to consider, reflect on; to bear in mind

bedeuten to mean, signify

bedeutend important, remarkable, outstanding; very much

die **Bedeutung, -en** meaning, significance, importance

bedienen to wait on, serve

(sich) **beeilen** to hasten, hurry (up)

beeindruckt impressed

beeinflussen to influence, affect

beerben to be heir to, inherit

(sich) **befinden, a, u** to find oneself; to feel; to be located

befriedigend satisfactory, satisfying

die **Begebenheit, -en** occurrence, happening

begegnen (jemandem) to meet, run into somebody

begehen, i, a to commit; to do (wrong)

begleiten to accompany; to escort

der **Begriff, -(e)s, -e** concept, notion; **im Begriff sein** to be about to, on the point of

behaupten to maintain, assert; to contend, hold

behindern to obstruct, hamper, hinder, impede

bei at, near, close to, by, with

beide both

beim = bei dem

das **Bein, -(e)s, -e** leg; **sich auf den Beinen halten** to keep on one's feet

beinahe almost; **beinahe etwas tun** to come near doing something

beisammen together

das **Beispiel, -s, -e** example, model; **zum Beispiel** for instance, example

bekannt well-known, familiar; noted; **die bekanntesten Skiläufer** the best known skiers

der **Bekannte, -n, -n** acquaintance, friend

bekommen, a, o to get, achieve, obtain, acquire

belästigen to bother, molest, annoy

bellen to bark

bemerken to notice, perceive, see; to observe, mention, remark

die **Bemerkung, -en** remark, observation

benutzen to make use of, use, employ

beobachten to note, observe

bequem comfortable, convenient, effortless

die **Beratung, -en** council, advice

bereit ready, prepared, willing

bereiten to prepare, hold in readiness

bereits already, previously

der **Berg, -(e)s, -e** mountain, hill

die **Bergspitze, -n** mountain peak

der **Bergsteiger, -s, -** mountaineer, mountain climber

berichten (über) to report (on), give an account (of); to cover

der **Berliner, -s, -** Berliner

der **Beruf, -(e)s, -e** job, profession, work

beruflich professional, vocational, occupational

die **Berufskleidung, -en** vocational, work clothes

das **Berufsrisiko, -s, -s** (*or* **-risken**) occupational risk

der **Berufsspieler, -s, -** professional player

der **Berufssport, -s, (die Berufssportarten)** professional sport

berühmt famous, renowned, noted

berühren to touch; to border

beschäftigt busy, engaged

bescheiden modest, humble

(sich) **beschweren** to complain, gripe

der **Besen, -s, -** broom

besitzen, a, e to own, possess

besonder special, specific; **besonders** especially, particularly

besser better; **besser als** better than

das **Beste** the best; **das Beste daraus machen** to make the best of it

bestehen, a, a to pass (an exam); **bestehen aus, in** to consist of, be made of

bestellen to order, to ask for, to reserve

bestimmen to determine, decide, to direct

bestimmt certain, specified, fixed; decidedly

besuchen to visit (a person, town); to attend (a college)

der **Besucher, -s, -** visitor, caller, guest

betreten, i, a, e to enter (a room); to set foot on (land)

betrogen betrayed; **der betrogene Ehemann** the deceived husband

betrunken drunk, intoxicated

das **Bett, -es, -en** bed; **ins Bett gehen** to go to bed

bevor before, prior to

bewaffnen to arm, provide with weapons

(sich) **bewahrheiten** to prove true

bewegen to move, agitate; **bewegte Vergangenheit** colorful past, eventful past

beweisen, ie, ie to prove, demonstrate

bewundern to admire

bezahlen to pay

bezeichnend indicative, significant, characteristic

bezeichnen to designate, characterize, name, term

die **Beziehung, -en** relation, relationship; reference; connection

das **Bier, -(e)s, -e** beer

das **Bierglas, -es, ꞋꞋer** beer glass

der **Bierkrug, -(e)s,** ⁚e beer mug, stein

der **Bierpreis, -es, -e** price of beer

die **Bierwette, -n** beer bet

bieten, o, o to offer, present

das **Bild, -es, -er** picture, image portrait

bilden to form, shape; to organize, constitute

(sich) **bilden** to get educated, shape one's mind

der **Bindfaden, -s,** ⁚ string, thin cord

bis until, till, up to; **bis zu Ende** to the end; **bis morgen** until tomorrow

der **Bischof, -s,** ⁚e bishop

bisher so far, up to now, heretofore

bislang so far, hitherto

bitte please; I beg your pardon

bitten, a, e to ask; to beg; to invite

blasen, ä, ie, a to blow (horn); to play (flute)

blau blue

bleiben, ie, ie to remain, stay; **keine Antwort schuldig bleiben** not to be at a loss for an answer

der **Bleistift, -s, -e** pencil

der **Blinde, -n, -n** blind man, blind person

der **Blitz, -es, -e** (flash of) lightning

blitzschnell quick as lightning, with lightning speed

die **Blockade, -n** blockade

blühen to blossom, be in flower; to flourish

blutig bloody, deadly

das **Bockbier, -s** bock-beer (a strong dark beer

der **Boden, -s,** ⁚ ground, soil; **auf dem Boden liegen** to lie on the ground, the floor

bösartig obnoxious, evil, malicious

böse bad, harmful, angry

der **Braten, -s, -** roast meat, joint

brauchen to need; to use, make use of; to employ

braun brown; **braunes Haar** dark hair; **der braun gebrannte Skiläufer** the darkly tanned skier

brechen, i, a, o to break **sich ein Bein brechen** to break a leg

brennend burning

der **Brief, -s, -e** letter, written document

die **Brieftasche, -n** wallet, pocketbook

bringen, brachte, gebracht to bring, take along; to take to; to cause to do

britisch British

das **Brot, -(e)s, -e** bread, loaf of bread

das **Brötchen, -s, -** roll

die **Brücke, -n** bridge

der **Bruder, -s,** ⁚ brother

das **Buch, -(e)s,** ⁚er book

buchen to book

die **Bühne, -n** stage, theater

das **Bündel, -s, -** bunch, bundle, packet

der **Bundeskanzler, -s, -** Federal Chancellor

die **Bundesrepublik,- en** Federal Republic

die **Burg, -en** fort, castle

der **Bürger, -s, -** citizen, burgher, townsman

der **Bürgersteig,-s,-e** sidewalk
die **Bürgerwehr, -en** town
  militia; national guard
die **Burgruine, -n** ruined castle
das **Büro, -s, -s** office (room)
der **Bürstenmacher,-s,-** brush
  maker
der **Busen, -s, -** bosom, breast
der **Bus (Autobus), -ses, -e**
  bus
das **Café, -s, -s** café, coffee shop
das **Camping, -s** camping
der **Campingfreund, -(e)s, -e**
  camping fan
der **Campingplatz, -es, ⁓e**
  camping site
die **CDU = Christlich-Demo-
  kratische Union** Chris-
  tian-Democratic Union
  (political party of West-
  Germany)
die **Chance, -n** chance
das **Chaos, -** chaos
  chaotisch chaotic
der **Charakter, -s, -e** character, nature
die **Charaktereigenschaft,
  -en** characteristic feature
  charakteristisch characteristic
  charmant charming
der **Charme, -s** charm
der **Chef, -s, -s** boss, chief,
  principal
  cholerisch choleric,
  irascible
die **Chronik, -en** chronicle
  da there, here; as, since
  dabei with it
das **Dach, -s, ⁓er** roof
der **Dachdecker, -s, -** roofer
der **Dachdeckermeister, -s, -**
  master roofer
der **Dachstuhl,-s, ⁓e** roof truss,
  woodwork of a roof

der **Dackel, -s, -** dachshund,
  badger dog
das **Dackelbein, -s, -e** leg of a
  dachshund; **Dackel-
  beine haben** to be bow-
  legged
  dadurch thereby; in that
  way
  dafür for it, in return for it;
  instead, in exchange
  dagegen against it; on the
  other hand; in compari-
  son with it
  daher thus, therefore
  daher/kommen, a, o to
  show up, to appear
  damalig of that time; **der
  damalige Kanzler** the
  then chancellor
  damals in those days, at
  that time, then
die **Dame, -n** lady
  damit with that, it; thereby; **damit daß** . . . in
  order that. . . .
der **Dampfer, -s, -** steamer
  danach afterwards, after
  that
der **Dank, -es** thanks, gratitude
  dann then
  daran in regard to, of, to it
  darauf on, upon it, thereupon
  daraufhin thereupon
  darin in there, in it
  darüber above, over it;
  about, about it, con-
  cerning it
  darum = (um das) about
  that; around it
  daß that, in order that, so
  that
  dasselbe the same
die **Dauer** duration; **auf die
  Dauer** in the long run

dauern to last
davon of, about, from it
davor before it
dazu to it, to that
das **Debakel, -s, -** debacle, catastrophe
decken to cover; **das Dach decken** to roof
defensiv defensive
definieren to define
demonstrieren to demonstrate, prove, show
denken, dachte, gedacht to think, trust; **Denk' dir!** Imagine!
denn for; because; since; **Aber warum denn nicht?** But why not?
dennoch however, nonetheless; yet
der da drüben that one over there
deshalb that's why; for this reason; therefore
dessen whose, of whom, of which
das **Dessert, -s, -s** dessert
deutlich plain, clear, evident
deutsch German
der **Deutsche, -n, -n** the German
das **Deutschland** Germany
der **Dialekt, -es, -e** dialect
der **Dialog, -es, -e** dialogue
die **Diäten** (*pl.*) payment (to Members of Parliament), allowance
dicht thick, dense
dick thick, fat, corpulent
dienen to serve; to help, assist
diesmal this time
diktieren to dictate
das **Diner, -s, -s** (*French*) dinner

das **Ding, -es, -e** (*or* **Dinger**) thing; object, matter
direkt direct; straight
der **Dirigent, -en, -en** conductor
dirigieren to manage, direct (a team); to conduct (an orchestra)
diskutieren to discuss
die **Disziplin, -en** branch, field of science; discipline
die **DM = Deutsche Mark** (currency)
doch however, yet, still
der **Doktor, -s, -en** doctor; **den Doktor machen** to take one's (doctor's) degree
die **Doktorarbeit, -en** thesis
der **Doktorgrad, -es, -e** doctor's degree
dokumentieren to document; to prove, demonstrate
der **Dom, -(e)s, -e** cathedral
der **Domplatz, -es, ⁻e** cathedral square
der **Donner, -s** thunder
donnern to thunder, storm
das **Donnerwetter, -s** thunderstorm; confound it, darn it!
doppelt, double, twofold
das **Dorf, -(e)s, ⁻er** village
dort there
die **Dosis, die Dosen** dosis; **zu hohe Dosis** overdosis
dramatisch dramatic
der **Draufgänger, -s, -** daredevil, reckless man
der **Dreck, -s** dirt, filth
drehen to turn, turn around
drin = darin in there
dringend urgent

dumm stupid, silly

dünn thin, slim

durch through, by

durchaus absolutely, quite

durchbrechen, i, a, o to break through, to cut through

durch/fallen, ä, ie, a to fail, flunk (an exam); **der durchgefallene Kandidat** the unsuccessful candidate

durch/halten, ä, ie, a to hold out; **das Tempo durchhalten** to keep up the pace

durchs = durch das

der **Durchschnitt, -(e)s, -e** average mean

durchschnittlich average

der **Durchschnittsstudent, -en, -en** average student

dürfen, (darf), durfte, gedurft to be permitted; **dürfte** should, ought

der **Durst, -es** thirst

das **Düsenflugzeug, -(e)s, -e** jet plane

düster gloomy, dark

eben just, just now; simply

ebenso just as, just as much; the same way

echt genuine

egal alike; **das ist mir egal** that's the same to me

die **Ehefrau, -en** wife

ehemalig former, then, old

der **Ehemann, -(e)s, ¨er** husband, married man

eher = comp. of ehe rather; sooner; more easily

die **Ehre, -n** honor; pride, reputation

der **Ehrgeiz, -es** ambition

ehrgeizig ambitious

ehrwürdig venerable, dignified, time-honored

eigen own, special, particular; proper

eigenartig peculiar, strange, odd

eigentlich actually, strictly speaking

eilen to hurry, hasten, hustle

eilig hurried; **es eilig haben** to be in a hurry

der **Eimer, -s, -** pail, bucket

eindeutig unequivocal, clear-cut

der **Eindruck, -(e)s, ¨e** impression; **einen guten Eindruck machen** to make a good impression, impress favorably

einfach simple, plain

das **Einfamilienhaus, -es, ¨er** one-family house

der **Einfluß, -sses, ¨sse** influence

einige several, a couple, some; **vor einiger Zeit** some time ago; **einige davon** some of them

das **Einkommen, -s, -** income

ein/laden, ä, u, a to invite, to ask

einmal once; **noch einmal** once more; **auf einmal** all of a sudden; **nicht einmal** not even

(sich) **ein/mischen** to interfere, get involved

ein/schüchtern to intimidate, scare, frighten

ein/sehen, ie, a, e to realize

einseitig one-sided, biassed

einverstanden mit content with, **einverstanden sein mit** to agree to; to okay

der **Einwohner, -s, -** inhabitant

einzeln single, individual; **in einzelnen Teilen Deutschlands** in various sections of Germany

einzig unique, sole, only; **einzig und allein** solely, purely

das **Eis, -es** ice

die **Eisenbahn, -en** railroad; **mit der Eisenbahn fahren** to go by train

eisern iron, made of iron

der **Eisschrank, -s, ⸚e** refrigerator

der **Elan, -s** verve, dash, élan (*French*)

elegant elegant, fashionable

der **Elektriker, -s, -** electrician

die **Elektrizität,** electricity

der **Elektromeister, -s, -** master electrician

die **Eltern** parents

das **Elternhaus, -es, ⸚er** one's home, house of one's parents

empfangen, ä, i, a to receive, welcome

das **Ende, -s, (-n)** end; **am Ende** at the end **gegen Ende** toward the end

endlich final, ultimate; in the end

endlos endless, interminable

die **Energie, -n** energy

eng narrow; tight

das **England** England

der **Engländer, -s, -** Englishman

englisch English

der **Enkel, -s, -** grandson

enorm enormous, huge; terrific

entdecken to discover, reveal

entlassen, ä, ie, a to dismiss, discharge

entscheiden, ie, ie to decide; to settle (a dispute)

entscheidend decisively

die **Entscheidung, -en** decision, ruling

(sich) **entschließen, o, o** to decide, resolve, determine

entschuldigen excuse, pardon

entstehen, a, a to originate, come into being, develop, spring up

enttäuschen to disappoint

entwickeln to develop

die **Entwicklung, -en** development, growth

entziehen, o, o to withdraw, deprive someone of

(sich) **ereignen** to happen, occur

das **Ereignis, -ses, -se** event, occurrence, happening

erfahren, u, a to learn, hear; to experience

erfassen to seize, grip

erfinden, a, u to invent; to fabricate

der **Erfolg, -s, -e** success; issue

erfolgreich successful

ergeben, i, a, e to result (in); to yield; to prove, reveal

das **Ergebnis, -ses, -se** result

erhalten, ä, ie, a to get, receive

erheblich considerable; important

erhöhen to raise, increase; to elevate

die **Erhöhung, -en** increase, raise, raising

(sich) **erholen (von)** to recover (from); to recuperate; to relax

die **Erholung, -en** relaxation, rest, recovery

(sich) **erinnern** to remember, recollect

erkennen, erkannte, erkannt to recognize, know by

erklären to declare, state; to explain

die **Erklärung, -en** explanation; solution

erlauben to permit, allow

erleben to experience; to feel

erlernen to learn thoroughly, master

erleuchtet lit-up

ermutigend encouraging

erneut again, anew, once more

ernst serious, grave

erregen to excite, stir up, to inspire

erreichen to acquire, achieve; to come up to, to reach

erringen, a, u to carry off, win; to achieve

der **Ersatz, -es** compensation, substitute; **als Ersatz für** as a substitute for

erscheinen, ie, ie to appear, turn up

erschöpft exhausted, worn out, done in

erst first; only

erstaunlich surprising, amazing

erstaunt sein to be amazed, surprised

erstklassig first-class, first-rate

erwachsen adult, grown-up

erwarten to expect; to look forward to

erwidern to reply, answer; **das Lächeln erwidern** to return the smile

erzählen to tell (a story) narrate, relate something

die **Erziehung,** education, bringing-up

der **Esel, -s, -** donkey, ass; stupid fellow

essen, i, a, e to eat

das **Essen, -s, -** food; **zum Essen ein/laden** to invite for dinner

etwa approximately, about, somewhat

etwas something, a bit; some; somewhat; anything

ewig eternal, perpetual

das **Examen, -s, -** *or* **Examina** exam, examination

die **Existenz, -en** existence

existieren to exist, to live

exklusiv exclusive

der **Experte, -n, -n** expert

explodieren to explode

das **Fach, -(e)s, ⁻er** subject (of study), specialty, line

fahren, ä, u, a to travel, to go (by car, train, bus, etc.)

der **Fahrer, -s, -** driver, chauffeur

das **Fahrrad, -es, ⁻er** bicycle

die **Fahrt, -en** trip, tour, ride

das **Fairplay, -s** fair play
das **Faktum, -s, die Fakten** fact
die **Fakultät, -en** department, faculty
der **Fall, -(e)s,** ⸚e case; **auf jeden Fall** in any case, at any rate; **auf keinen Fall** on no account
fallen, ä, ie, a to fall, drop; **durchs Examen fallen** to fail, to flunk an exam; **hinfallen** to fall down; **es fiel mir ein** it occurred to me, it struck me
falsch wrong, false
die **Falte, -n** fold, crinkle, pleat, wrinkle
die **Familie, -n** family
die **Familienchronik, -en** family or ancestral chronicles
der **Fang, -(e)s,** ⸚e catch
fangen, ä, i, a to catch, to get; **Feuer fangen** to catch fire
die **Farbe, -en** color, dye
fassen to grip, seize, take hold of
fast almost
faszinierend fascinating
der **Fatalist, -en, -en** fatalist
faul lazy, idle; rotten, bad
fehlen to be absent, missing; **es fehlt nichts** nothing is missing
feiern to celebrate; **ein Fest feiern** to observe a festival or a holiday
das **Feld, -es, -er** field; (sport) ground
das **Fell, -s, -e** hide, skin, (animal's) coat; **ein dikkes Fell haben** to be thick-skinned

das **Fenster, -s, -** window
das **Fernsehen, -s** television
der **Fernseher, -s, -** TV set
fertig ready, prepared; **fertig werden mit** to finish (something); **fertig sein mit** to have done, finished (something)
fest firm, strict, set, tight
das **Fest, -es -e** festival, celebration
fest/stellen to state, find out
feucht humid
der **Feudalismus, -** feudalism
das **Feuer, -s, -** fire
das **Fieber, -s** fever
die **Figur, -en** figure, shape
finden, a, u to find
der **Finger, -s, -** finger
die **Firma, die Firmen** firm, business, company
der **Fisch, -es, -e** fish
fischen to go fishing; to fish
der **Fischer, -s, -** fishermen
fit fit
flach flat
das **Fleisch, -es** meat
der **Fleischer, -s, -** butcher
der **Fleischermeister, -s, -** master butcher
fliegen, o, o to fly
fliehen, o, o to flee, to take refuge
das **Fließband, -es,** ⸚er conveyor belt
der **Flügel, -s, -** wing; **Flügel einer Windmühle** sail of a windmill
das **Flugzeug, -s, -e** plane, aircraft **mit dem Flugzeug fahren** to travel by plane
der **Fluß, -sses,** ⸚sse river, stream

das **Flutlicht, -es, -er** floodlight
die **Folge, -en** consequence, result
folgen to follow; **der folgende Dialog** the ensuing dialogue
fordern to demand, request
die **Form, -en** form, shape
die **Forschung, -en** research, study
der **Förster, -s, -** forester
das **Foul, -s** foul
die **Frage, -n** question
fragen to ask, inquire
das **Frankreich** France
der **Franzose, -n, -n** Frenchman
die **Französin, -nen** Frenchwoman
französisch French
die **Frau, -en** woman; wife
die **Freiheit, (-en)** freedom, liberty
die **Freizeit, -en** leisure time, spare time
fremd strange, alien, unfamiliar
der **Fremde, -n, -n** stranger, alien, foreigner
die **Fremdsprache, -n** foreign language
fressen, i, a, e to eat (of animals), devour
(sich) **freuen** to be glad, pleased
der **Freund, -es, -e** friend, pal
die **Freundin, -nen** girl friend
freundlich friendly, kind, polite
frisch fresh, new
der **Friseur, -s, -e** hairdresser, barber
der **Friseurmeister, -s, -** master barber, master hairdresser

froh glad, happy
fröhlich merry, gay
früh early; untimely
früher formerly, in former years, times
das **Frühstück, -s -e** breakfast
der **Fuchs, -es, ⁀e** fox
fühlen to feel
führen to lead, to guide
füllen to fill; **ausfüllen** to fill in, out
fünfbeinig five-legged
der **Fünfuhrtee, -s, -s** five o'clock tea
für for, in exchange for, in favor of
furchtbar awful, terrible, tremendous
fürchten to be afraid of, to fear
der **Fußball, -s, ⁀e** football; soccer
die **Fußballbegeisterung, -** enthusiasm for soccer
das **Fußballfeld, -es, -er** soccer field (stadium)
das **Fußballspiel, -s, -e** soccer game; **Fußball spielen** to play soccer
der **Fußballspieler, -s, -** soccer player
der **Fußballverein, -s, -e** soccer club
der **Fuß, -es, ⁀e** foot; **jeder Fußbreit Boden** every square inch (of soil)
der **Fußgänger, -s, -** pedestrian
füttern to feed
die **Gabel, -n** fork
der **Gang, -(e)s, ⁀e** gait, walk; course (of events); **im Gange sein** to be going on
der **Gangster, -s, -** gangster

die **Gans,** ⁻e goose
die **Gänsehaut,** ⁻e goose-flesh,
goose pimples; **ich be-
komme eine Gän-
sehaut** it gives me the
creeps
ganz whole, entire, all;
quite, rather
gar at all; quite, very;
gar nicht not at all
die **Garage, -n** garage
der **Garten, -s,** ⁻ garden
das **Gas, -es, -e** gas
der **Gast, -es,** ⁻e guest
das **Gasthaus, -es,** ⁻er inn,
guest house
das **Gebäude, -s, -** building,
structure, edifice
geben, i, a, e to give;
es gibt there is, there are
das **Gebiet, -(e)s, -e** area, field,
subject
das **Gebiß, -sses, -sse** denture
geboren born
der **Geburtstag, -s, -e** birthday
der **Geburtstagskuchen, -s, -**
birthday cake
der **Gedanke, -ns, -n** thought,
idea, notion; **auf einen
Gedanken kommen** to
get an idea
gedankenlos thoughtless
das **Gedränge, -s** throng, big
crowd
die **Geduld** patience
geehrt honored; **sehr
geehrter Herr** (*in letter*)
dear Sir
die **Gefahr, -en** danger
gefährden to jeopardize,
endanger
gefährlich dangerous, risky
gefallen, ä, ie, a to please;
Wie hat es dir gefallen?
How did you like it?

gefangen/nehmen, i, a, o
to take prisoner
die **Gefangenschaft, en** cap-
tivity, custody
das **Gefühl, -s, -e** feeling, senti-
ment
gegen against
die **Gegend, -en** region, district, area
der **Gegensatz, -es,** ⁻e con-
trast, opposition, an-
tagonism
gegenwärtig at present
das **Gehalt, -es,** ⁻er salary
die **Gehaltserhöhung,** -en
raise, increase in salary
das **Geheimnis, -ses, -se** secret
gehen, i, a to go, walk; to
leave
gehorchen to obey
gehören to belong; to be
part of; **Köln gehört zu
den größten Städten**
Cologne is one of the
largest cities
(sich) **gehören** to be proper, fit,
timely; **wie es sich
gehört** as it should be
der **Geigenbaumeister, -s, -**
master violin maker
der **Geiger, -s, -** violinist
das **Geld, -es,** (**Gelder**) money
die **Gelegenheit, -en** oppor-
tunity, chance; **bei
dieser Gelegenheit** on
that occasion
gelegentlich occasional,
now and then
die **Geliebte, -n, -n** sweetheart,
mistress
gelingen, a, u to succeed;
es gelingt mir nicht I
don't succeed
die **Gemäldesammlung, -en**
(painting) gallery

gemeinsam common, mutual; together

das **Gemisch, -es, -e** mixture, concoction

gemütlich congenial, cosy

genau exact, accurate, precise

genauso the same way

der **General, -s, -e** *or* **:e** general

der **Generaldirektor, -s, -en** managing director

die **Generation, -en** generation

genug enough

genügen to suffice, be enough

gepflegt well-tended; well-groomed

gerade just, precisely, exactly

das **Geräusch, -es, -e** noise; sound; bustle

gering small, little

der **Germane, -n, -n** member of Germanic tribe, Teuton

gern gladly, willingly, with pleasure; **etwas gern tun** to like doing something; **gern haben** to like

das **Gerücht, -es, -e** rumor

gesamt whole, entire, complete

das **Geschäft, -es, -e** business, trade

das **Geschäftshaus, -es, :er** office building

geschehen, ie, a, e to occur, happen

das **Geschenk, -s, -e** gift, present

die **Geschenkpackung, -en** gift package

die **Geschichte, -n** story, tale; history

geschichtlich historical, historic

geschickt skillful, dexterous

geschieden divorced

die **Geschwindigkeit, -en** speed, velocity

die **Geschwindigkeitsbeschränkung, -en** speed limit

geschwollen swollen

der **Geselle, -n, -n** journeyman

die **Gesellschaft, -en** society, social set; social gathering

gesellschaftlich social

das **Gesetz, -es, -e** law, rule

das **Gesicht, -es, -er** face

das **Gespenst, -es, -er** ghost, apparition

das **Gespräch, -s, -e** talk, conversation

gestern yesterday

gestreift striped

gesund healthy, sound

das **Getto, -s, -s** ghetto

das **Gewehr, -s, -e** rifle

gewinnen, a, o to win, gain

gewiß certain, sure

das **Gewitter, -s, -** thunderstorm; **bei dem Gewitter** during the storm

(sich) **gewöhnen an** to get used to

gezuckert sugar-coated

der **Gipfel, -s, -** summit, top

das **Glas, -es, :er** glass; **bei einem Glase Wein** over a glass of wine

glauben to believe; **Das glaube ich!** I should think so!

gleich same, similar; immediately, right away

gleichgültig indifferent

der **Glockengießer, -s, -** bell founder

das **Glück, -s** luck, good luck; happiness

das **Glücksspiel, -s, -e** game of chance, gamble

der **Glückwunsch, -es, ⁝e** congratulation

glühen to glow, to be redhot

gnädig gracious, merciful; **gnädige Frau** Madam

der **Gnom, -en, -en** gnome, goblin

das **Golf, (Golfspiel)** golf

der **Gott, -es, ⁝er** God; god, deity, **bei Gott** dear Lord! **um Gottes willen** for heaven's sake, for goodness' sake

der **Graf, -en, -en** count

greifen, i, i to grasp, seize, get hold of

groß big, large, great

großartig excellent; grand

das **Großbritannien** Great Britain

die **Großmutter, ⁝** grandmother

die **Großstadt, ⁝e** city, metropolis

großzügig generous

die **Groteske, -n** grotesque

grün green

der **Grund, -es, ⁝** reason, basis

gründen to found

gründlich thorough, profound

Gruß, -es, ⁝e greeting regard; **herzliche Grüße** best regards

gut good (well); **also gut** well then

gutmütig good-natured, kind-hearted

die **Gymnastik, -** gymnastics; calisthenics

das **Haar, -s, -e** hair

die **Habilitation, -en** qualification as a university lecturer or teacher

der **Hahn, -s, ⁝e** rooster, cock

der **Haken, -s, -** hook; clasp

halb half; **eine halbe Stunde** half an hour

der **Halt, -(e)s** (*from imperative:* **halten** to halt, to stop) = stop sign, halt

halten, ä, ie, a to hold, keep; to detain; **halten für** to consider, deem, think

die **Hamburgerin, -nen** a woman resident from Hamburg

die **Hand, ⁝e** hand; **zur Hand haben** to have at hand, within reach

der **Handelsvertreter, -s, -** (travelling) salesman

der **Handschuh, -(e)s, -e** glove

der **Handschuhmacher, -s, -** glove maker

das **Handwerk, -(e)s, -e** craft, trade

der **Handwerker, -s, -** craftsman

hängen, i, a to hang, to be suspended; **hängen an** to cling to, be devoted to

harmlos harmless, innocent, innocuous

hart hard; severe

der **Hase, -n, -n** hare; (rabbit)

häßlich ugly

hauen to strike (a person with the hand) to spank; **jem. übers Ohr hauen** to cheat somebody, take a person in

häufig frequent

die **Hauptsache, -n** chief thing, main thing; main point

die **Hauptstadt, ⸚e** capital (city)

die **Hauptstraße, -n** main street

das **Haus, -es, ⸚er** house, home; **zu Haus (e)** at home **nach Hause gehen** to go home; **sich zu Hause fühlen** to feel at home, familiar

die **Hausangestellte, -n** domestic employee, servant

die **Hausfrau, -en** housewife

der **Haushalt, -(e)s, -e** household

das **Hausmädchen, -s, -** housemaid, domestic help

die **Haustür, -en** front door

die **Haut, ⸚e** skin; hide

heben, o, o to raise, lift; **etwas auf/heben** to keep something, to take something up

das **Heilbad, -es, ⸚er** health resort; spa

heimlich, secret, clandestine

die **Heimmannschaft, -en** home team

das **Heimweh, -es** homesickness

die **Heirat, -en** marriage

heiraten to marry

heiratsfähig marriageable

heiß hot

heißen, ie, ei to be called; to mean

die **Heizung, -en** heating

hektisch hectic, exciting

helfen, i, a, o to help, assist

hell light, clear, bright

das **Hemd, -es, -en** shirt

herab down, downward; **herab/sehen auf** to look down on

herbei hither, this way

der **Herbst, -es, -e** autumn, fall

der **Herr, -n, -en** gentleman

der **Herrscher, -s, -** ruler, sovereign

herrschen to prevail

der **Herzinfarkt, -s, -e** heart attack, heart condition

herzlich cordial, heart-felt; **herzliche Grüße** kind regards

der **Herzog, -s, ⸚e** duke

die **Heuschrecke, -n** locust, grasshopper

heute today, these days; **die heutige Landeshauptstadt** today's state capital

hier here; **hier und da** now and then; **ja, hier Müller** (*on the phone e.g.*) yes, this is Müller

die **Hierarchie, -n** hierarchy

hierbei in this connection

hier lassen, ä, ie, a to leave here

hilflos helpless

der **Himmel, -s, -** sky; heaven

hin thither, there; **hin und her** back and forth, to and fro; **hin/fallen** to fall down

hinab down; **hinab/lassen** to lower

hinauf up, upward; **hinauffahren** to drive up

hin/fallen, ä, ie, a to fall down, to drop

hingegen on the other hand; however

hinten at the back, behind, in the rear

hinter after, behind

die **Hintertür, -en** backdoor

der **Hinweis, -es, -e** hint, suggestion; allusion

hinzu kommt, daß . . . add to this, that . . .

historisch historic (al)

das **Hobby, -s, -s** hobby

hoch high, tall **eine hohe Dosis** a strong dose

hochachtungsvoll (*ending letter*) Yours truly, respectfully

hochdeutsch High German

das **Hochhaus, -es, ¨er** skyscraper

die **Hochschule, -n** university, institute of higher learning

höchstens at best, at the most

der **Hof, -s, ¨e** court; farm; yard; **bei Hofe** at court

das **Hofbräuhaus, -es** name of a famous beer restaurant in Munich

die **Hofdame, -n** lady-in-waiting

hoffen to hope

hoffentlich let's hope that, it is to be hoped

hoffnungslos hopeless

höflich polite

die **Höhe, -n** altitude, height

der **Höhepunkt, -es, -e** highest point; climax

holen to pick up, to bring; to fetch; to haul

der **Holländer, -s, -** Dutchman

hören to hear, to learn; **eine Vorlesung hören** to attend a course; **Na, hören Sie mal!** Look here, man! **Hör mal gut zu!** Now, listen!

der **Hörer, -s, -** (univ.) student, auditor

die **Hose, -n** (pair of) pants

das **Hospital, -s, ¨er** hospital

das **Hotel, -s, -s** hotel

das **Hotelbett, -es, -en** hotel bed

der **Hotelpreis, -es, -e** hotel rates

hübsch pretty, attractive

das **Hühnerauge, -s, -n** corn (on toes); **jemandem auf die Hühneraugen treten** to hurt someone's feelings

der **Humor, -s** humor; **Sinn für Humor** sense of humor

humorlos without humor, lacking in humor

der **Hund, -es, -e** dog

der **Hut, -es, ¨e** hat; **unter einen Hut bringen** to reconcile

die **Hygiene** hygiene, hygienics

hysterisch hysterical

der **Idealist, -en, -en** idealist

die **Idee, -n** idea, notion

die **Ideologie, -n** ideology

idiomatisch idiomatic

ignorieren to ignore

illustrieren to demonstrate, exemplify; to illustrate

im = in dem

das **Image, -s** image

immer always, ever

die **Immigration, -en** Immigration

importieren to import

der **Impuls, -es, -e** impulse

der **Indianer, -s, -** Indian
(*Amer.*)

individuell individual

die **Industrie, -n** industry

der **Industriearbeiter, -s, -** laborer, industrial worker

industriell industrial

der **Ingenieur, -s, -e** engineer

inoffiziell unofficial

ins = in das

insgesamt altogether

der **Installateur, -s, -e** plumber

inszenieren to stage (a show)

intelligent intelligent, clever, perceptive

intensiv intense, thorough

interessant interesting

interessieren to interest (somebody in); **Das interessiert mich nicht,** I don't care

interviewen to interview

irgendwelch any

die **Ironie, -n** irony

irren to err, mistake; **Sie müssen sich irren,** you must be mistaken

isolieren to isolate

das **Jackett, -s, -s** (*or* **-e**) jacket, short coat

die **Jagd, -en** hunt; **auf die Jagd gehen** to go hunting

das **Jagdrecht, -s, -e** hunting license, right to hunt

der **Jäger, -s, -** hunter, huntsman

das **Jahr, -(e)s, -e** year

das **Jahrhundert, -s, -e** century; **durch die Jahrhunderte** for centuries, all through the centuries

jawohl (*emphatic*) yes

je mehr, desto besser the more . . . the better

jeder every, each

jederzeit at any time, always

jedoch however, yet, still, nevertheless

jemals ever

jemand somebody, anybody

jener that, that one

jetzt now, at present

der **Job, -s, -s** job

der **Journalist, -en, -en** journalist

der **Junge, -n, -n** boy, lad

jung young

der **Junggeselle, -n, -n** bachelor

juristisch juridical, legal; **juristische Vorlesungen** courses in law

der **Juwel, -s, -en** jewel

die **Kaffeekanne, -n** coffee pot

der **Kalender, -s, -** calendar

die **Kälte, -** cold; cold weather

der **Kampf, -es, ⸚e** fight, struggle

kämpfen to fight, struggle

der **Kandidat, -en, -en** candidate

die **Kapelle, -n** band (music)

kariert chequered, checked

der **Karneval, -s, -s** carnival

der **Karnevalsscherz, -es, -e** carnival joke

die **Karriere, -n** career

das **Karussell, -s, -e** merry-go-round

der **Kater, -s, -** tom cat; **einen Kater haben** to have a hangover

der **Katholik, -en, -en** (Roman) Catholic

kaufen to purchase, buy

der **Kaufmann, -s,** (*pl.*) **Kauf-leute** merchant, trades-man
kaum scarcely, hardly
die **Kehrseite, -n** reverse side
kein no, not a, not any
keiner no one, none
keineswegs by no means, in no case
der **Kelte, -n, -n** Celt
kennen, a, a to know
die **Keule, -n** cudgel, club
der **Kilometer, -s, -** kilometer
das **Kind, -es, -er** child; **es steckt noch in den Kinderschuhen** it is still in its infancy, in its initial stages
die **Kindtaufe, -n** christening (of a child)
die **Kirche, -n** church
die **Kirsche, -n** cherry
das **Kissen, -s, -** pillow, cushion
klar clear; obvious
klären to explain, clear up (a case)
die **Klasse, -n** class
das **Klavier, -s, -e** piano
kleben to stick, be glued to; to cling to
die **Kleidung, -en** clothing, clothes
klein small, short
die **Kleinstadt, ⸚e** small town
das **Klima, -s** (*pl.*) **Klimata** climate
klingen, a, u to sound; **Das klingt nur so,** It only sounds like it
der **Klub, -s, -s** club
klug wise, sensible, smart, clever
der **Knall, -s, -e** (sharp) re-port (of a gun); deton-ation

kneifen, i, i to pinch; **die Ohren zukneifen** to shut one's ears tightly
knietief knee-deep
der **Knochenbruch, -s, ⸚e** fracture of a bone
der **Knopf, -(e)s, ⸚e** button
die **Koalition, -en** coalition
kochen to cook
der **Kohl, -s,** (*pl.*) **Kohlköpfe** cabbage (heads of cabbage)
die **Kohle, -n** coal; **wie auf glühenden Kohlen sitzen** to sit on pins and needles, sit on thorns, be on tenterhooks
der **Kollege, -n, -n** colleague
die **Kolonie, -n** colony
komfortabel comfortable, luxurious
komisch comic, funny, queer, hilarious
kommen, a, o to come
kommunistisch com-munist
die **Komödie, -n** comedy
komplett complete
das **Kompliment, -s, -e** com-pliment
kompliziert complicated
der **Komponist, -en, -en** com-poser
der **Komputer, -s, -** com-puter
das **Konditionstraining, -s** conditioning, preparatory training
der **Konditor, -s, -en** pastry cook; **beim Konditor** in the pastry shop
der **Konfektionsanzug, -s, ⸚e** ready-made suit
die **Konferenz, -en** conference
der **König, -s, -e** king

das **Königreich, -s, -e** kingdom
der **Konkurrent, -en, -en** competitor
konkurrieren to compete
können, (kann) konnte, gekonnt to be able to, can
konservativ conservative
der **Kontakt, -s, -e** contact
die **Kontrolle, -n** control; supervision; **die Kontrolle verlieren** to lose control
kontrollieren to control, to check, supervise
konventionell conventional
konzentrieren to concentrate
der **Konzern, -s, -e** combine, business concern
der **Kopf, -(e)s, ̈e** head; **sich den Kopf zerbrechen** to rack one's brains; **über den Kopf wachsen** to outgrow, to become too much; **auf den Kopf stellen** to put upside down, to reverse
köpfen to behead
kopflos headless; (*fig.*) brainless
die **Kopie, -n** copy; imitation
der **Korbmacher, -s, -** basket maker
das **Korn, -s** grain; (*pl.*) **Kornarten** kinds of grain; **ein Glas Korn** a glass of rye; (**Korn = Schnaps**)
korrekt correct
kosten to cost
krachen to crash, to crack
krähen to crow
das **Krankenhaus, -es, ̈er** hospital

der **Krankenwagen, -s, -** ambulance
krass gross, crass
das **Kraut, -s, ̈er** herb, weed; cabbage (South Germany)
der **Kreuzer, -s, -** (*obsolete*) small coin
der **Krieg, -(e)s, -e** war
die **Krise, -n** crisis
die **Kritik, -en** criticism, review
der **Kritiker, -s, -** critic
kritisieren to criticize; to review
der **Krug, -s, ̈e** pitcher, jug
die **Küche, -n** kitchen
die **Kugel, -n** ball
die **Kuh, ̈e** cow
kühl cool
die **Kulisse,-n** (theater) wing, back-drop
sich **kümmern um** to mind, bother about; to take care of
kündigen to give notice; to quit
die **Kunst, ̈e** art
der **Kurort,-(e)s,-e** resort town
kurz short, brief; **nach kurzer Zeit** after a short time
lächeln to smile; **ein kleines Lächeln** a furtive smile
lachen to laugh
laden, ä, u, a to load (a gun)
laisser aller (*French*) to let things take their course, drift without interference
das **Land, -es, ̈er** country, land, nation; **auf dem Lande** in the country

die **Landeshauptstadt,** **¨e**
nation's capital, State
Capital

der **Landesherr, -n, -en** sovereign

landen to land, end up

die **Landschaft, -en** landscape, scenery

der **Landsmann, -(e)s,** (*pl.*)
Landsleute fellow countryman

lang long

lange, long, a long time

langsam slow

langwierig long, slow

lassen, ä, ie, a to let; to leave

laufen, äu, ie, au to walk; to run; **weg/laufen** to run away

laut loud, noisy

lauten to sound; to read

das **Leben, -s, -** life

leben to live

lebendig alive, lively; astir; bustling

lebenslänglich for life; life-long

leer empty, bare

leeren to empty (a glass), down

legen to lay, put, place; to install (pipes)

die **Legende, -n** legend

lehren to instruct, teach

der **Lehrer, -s, -** teacher, professor

der **Lehrling, -s, -e** apprentice

die **Leibeskraft,** **¨e** physical strength; **aus Leibeskräften** with all his might

leicht easy; light

leid painful, disagreeable;

Es tut mir leid I am sorry, I regret

leiden, to suffer; **leiden an** to suffer from

leider unfortunately, to someone's regret

die **Leine, -n** cord, line, thin rope, fishing line

leisten to perform; **sich etwas leisten können** to be able to afford something

die **Leitung, -en** wiring, pipe line, electric main

lernen to learn

lesen, ie, a, e to read; to give a lecture on

letzt last; **in den letzten Jahren** in recent years

Leute persons, people

lieb dear, affectionate, beloved

die **Liebe** love, affection

das **Lied, -(e)s, -er** song, lied

liefern to supply, furnish

liegen, a, e to lie (down); **woran liegt es, daß...** how come that... what is the reason for...; **an jdm. liegen** to be up to someone

der **Lift, -(e)s, -e** lift, ski lift

das **Liter, -s, -** (*dialect: masc.*) liter (= 1 3/4 pints)

die **Literatur, -en** literature

das **Loch, -s,** **¨er** hole

die **Logik, -** logic

los loose, free, off; **was ist hier los?** What's the matter?

lösen to solve; to disentangle

die **Lösung, -en** solution

der **Luftdruck, -s,** **¨e** atmospheric pressure

die **Luftpost, -** airmail
das **Luxushotel, -s, -s** luxury hotel
machen to do; to make
die **Macht, ⸚e** power, authority
mächtig powerful; very much
das **Mädchen, -s, -** young girl
das **Magengeschwür, -s, -e** (stomach) ulcer
der **Major, -s, -e** major
das **Mal, -s, -e** time; **zum ersten Mal** for the first time; **beim nächsten Mal** next time; **mit einem Male** all at once
mal, einmal once; **Sieh mal!** Look here!; **Hör mal!** Listen!
der **Maler, -s, -** painter
man one, they, you, we
der **Manager, -s, -** manager
die **Managerkrankheit, -en** manager disease
mancher some, several; many a
der **Manchester(stoff), -s** corduroy
manchmal sometimes, at times
der **Mann, -(e)s, ⸚er** man
die **Mannschaft, -en** team
die **Mark, -** German currency
das **Material, -s, -ien** material equipment
die **Mathematik, -** mathematics
die **Matratze, -n** mattress
die **Mauer, -n** wall
der **Mauerbau, -s** construction of the wall
der **Maulwurf, -s, ⸚e** mole
der **Maurer, -s, -** bricklayer mason

der **Maurermeister, -s, -** master builder
die **Maus, ⸚e** mouse
mechanisch mechanical
das **Medikament, -s, -e** medicine, remedy
die **Medizin, -** medicine, field of medicine
der **Mediziner, -s, -** member of the medical profession
medizinisch medical
der **Medizinstudent, -en, -en** medical student
das **Meer, -(e)s, -e** ocean, sea
mehr more
mehrere several, a few
mehrfach manifold, repeated
die **Mehrheit, -en** majority
mehrmals several times, repeatedly
die **Mehrzahl, -** majority, greater part
meinen to mention, say; to believe
die **Meinung, -en** opinion, view; **meiner Meinung nach** to my mind, in my opinion
meist mostly, in most cases
der **Meister, -s, -** master
die **Meisterprüfung, -en** exam for the title of master
melancholisch melancholic
der **Mensch, -en, -en** human being, person
merken to note, sense; to realize, find out
merkwürdig peculiar, strange
messen, a, e to measure
das **Messer, -s, -** knife

das **Meter, -s, -** (*dialect: masc.*) meter; **10 m** = ten meter (measurement)

die **Metropole, -n** metropolis

das **Militär, -s, -s** soldiers; military personnel

die **Milliarde, -n** a thousand millions; billion

die **Million, -en** million

mindestens at least

der **Minister, -s, -** minister; Secretary (e.g. of State)

die **Minute, -n** minute; **eine halbe Minute** half a minute

das **Mißverhältnis, -ses, -se** disproportion

mißverstehen, a, a to misunderstand

der **Mist, -es** manure, dung

das **Mitglied, -(e)s, -er** member; fellow (of a professional society)

mit/nehmen, i, a, o to take along

das **Mittagessen, -s, -** dinner (*often:* luncheon)

die **Mitte, -n** middle

das **Mittelalter, -s** the Middle Ages

mittelalterlich medieval

mittelmäßig mediocre, average, medium

der **Mittelpunkt, -(e)s, -e** center; focus

die **Mitternacht, -** midnight

mittleren middle, middling; **in mittleren Jahren** middle-aged

das **Möbel (stück), -s, -** piece of furniture

das **Modell, -s, -e** model; pattern

modern modern

mögen, (mag), mochte, gemocht may, might; like; **Ich möchte gern wissen** I would like to know.

möglich possible

die **Möglichkeit, -en** possibility

der **Moment, -s, -e** moment, instant

der **Monat, -s, -e** month

der **Mond, -(e)s, -e** moon

die **Mondnacht, ⁚e** moon-lit night

moralisch moral

morgen tomorrow

der **Morgen, -s, -** morning

die **Motorsäge, -n** power saw

der **Mückenstich, -s, -e** mosquito bite

die **Mühe, -n** trouble, pains; **sich Mühe geben** to take pains; to make an effort; **ohne Mühe** without any effort, effortless

mühelos effortless

mühsam laborious, painstaking; with great efforts

der **Münchner, -s, -** Munich resident, native of Munich

der **Mund, -es, ⁚er** mouth

mundfaul too lazy to speak, taciturn

munter cheerful, chipper, lively

der **Musiker, -s, -** musician

müssen, (muß), mußte, gemußt to have to

der **Mut, (e)s** courage; pluck

die **Mutter, ⁚** mother

na Well! Come now; **Na gut!** Well then! All right!

nach after; to

der **Nachbar, -n, -n** neighbor

das **Nachbarzimmer, -s, -** adjoining room

nach/denken to ponder, think about, over; to reflect, meditate

nachdem afterwards; after, when

nach/gehen, (einem Hobby) to pursue (a hobby)

nachher afterwards, after that; later, later on

der **Nachmittag, -s, -e** afternoon; **am Nachmittag** in the afternoon; **um ein Uhr nachmittags** at one PM

nächster next, nearest, following; **nächstes Jahr** next year; **am nächsten Abend** the following night; **beim nächsten Mal** (the) next time

die **Nacht, ¨e** night; **mitten in der Nacht** in the middle of the night; **über Nacht** during the night, overnight

der **Nachteil, -s, -e** disadvantage, drawback

das **Nachthemd, -(e)s, -en** nightgown, night shirt

das **Nachtleben, -s** night life **nachts** at night, by night

der **Nachtwächter, -s, -** (night) watchman

nah(e) close by, near; nearby

die **Nähe, -** vicinity, proximity; **in der Nähe von** near

(sich) **nähern** to approach

nahezu nearly, almost

die **Nahrung, -en** food, nourishment

naiv naive

der **Name, -ns, -n** name

nämlich namely

der **Narr, -en, -en** fool

die **Narrensitzung, -en** fools' session (at carnival)

die **Nase, -n** nose; **die Nase voll haben** to have had it, have had one's fill, be fed up

die **Nasenlänge, -n** length of a nose; **um eine Nasenlänge voraus** one step ahead

naß wet

die **Nationalmannschaft, -en** national team

die **Natur, -** nature; character **natürlich** natural; **Natürlich nicht!** Of course not!

der **Neandertaler, -s,** Neanerthal man

neben beside, by the side of, alongside of, next to

der **Nebentisch, -es, -e** next table

der **Neffe, -n, -n** nephew

nehmen, i, a, o to take

nennen, a, a to call, mention by name

der **Nerv, -s, -en** nerve

der **Nervenzusammenbruch, -s, ¨e** nervous breakdown

nervös nervous, jittery

neu new, fresh, modern

neulich recently, the other day

die **Neurose, -n** neurosis

nicht not

nichts nothing; naught; **nichts als** nothing but **nichtsdestoweniger** nonetheless; nevertheless

nie, niemals, never, not ever

die **Niederlage, -n** defeat

der **Niedersachse, -n, -n** Lower Saxon

niedersächsisch Lower Saxon

niemand nobody, none, no one

das **Niveau, -s, -s** level, standard

der **Nobelpreis, -es, -e** Nobel Prize

der **Nobelpreisträger, -s, -** Nobel Prize winner

noch still; in addition to; **noch nicht** not yet; **weder .. noch** neither .. nor

der **Nomade, -n -n** nomad

der **Norddeutsche, -n, -n** North German

der **Norden, -s** north

nördlich north, northern

normal normal, regular, standard

normalerweise normally

das **Norwegen** Norway

die **Notwendigkeit, -en** need, necessity

die **Nummer, -n** number; figure

nun now, then; **nun ja** well then

nur only, but

ob whether, if

der **Ober** (head) waiter; **Herr Ober!** Waiter! (*as address*)

Oberbayern Upper Bavaria

das **Obst, -es** fruit

obwohl though, although

och (*dialect of* **ach, ah**) ah, alas

der **Ochse, -n, -n** ox

oder or

offen open

offensichtlich obvious, evident

öffentlich public

offiziell official

der **Offizier, -s, -e** officer

die **Offiziersuniform, -en** officer's uniform

öffnen to open

oft often, frequently

ohne without; **ohne weiteres** without any ado

ohnehin anyway

das **Ohr, -s, -en** ear

das **Oktoberfest, -es, -e** October Festival

das **Oktoberfestzelt, -(e)s, -e** tent on the "Oktoberfest" meadow

olympisch olympic

die **Oma, -s** grandma, granny

der **Onkel, -s, -** uncle

die **Oper, -n** opera

die **Opposition, -en** opposition

der **Optimist -en, -en** optimist

das **Orchester, -s, -** orchestra

ordentlich tidy, clean

die **Ordnung, -en** order; arrangement

organisieren to organize

original original; **ein Originalmünchner** an indigenous Munich resident

der **Osten, -s** the east

das **Österreich, -s** Austria

der **Österreicher, -s, -** Austrian

das **Paar, -s, -e** couple, pair

ein paar a few, several

packen to pack, to grip, seize

panisch panic

der **Papa, -s, -s** daddy,

der **Papierkorb, -(e)s, ̈e** waste basket

der **Papst, -es, ̈e** pope

päpstlich papal, pontifical

der **Paragraph, -en, -en** paragraph

der **Park, -s, -s** park, garden
parken to park
der **Parkplatz, -es, ⁝e** parking lot, place
das **Parkverbot, -(e)s, -e** (prohibition sign) no parking (forbidden to park)
der **Parlamentarier, -s, -** parlamentarian, Member of Parliament
die **Partei, -en** party (political or legal)
die **Party, -ies** (social gathering) party
der **Passant, -en, -en** passerby
passend appropriate, suitable
passieren to happen, occur
der **Patient, -en, -en** patient
der **Patriot, -en, -en** patriot
die **Patrone, -n** cartridge
die **Pause, -n** stop, pause; intermission
pausenlos without pause
per per, by; **per Luftpost** by airmail
perfekt perfect
die **Perfektion,** perfection
die **Personalunion,- en** several states under one and the same sovereign
persönlich personal
der **Pessimist, -en, -en** pessimist
der **Pfarrer, -s, -** parson, clergyman
der **Pfennig, -s, -e** smallest German coin
das **Pferd, -es, -e** horse
pflegen etwas zu tun to be used to doing something, wont to, in the habit of doing something
der **Pflug, -es, ⁝e** plough

phantastisch fantastic; "groovy"
der **Philologe, -n, -n** philologist
die **Philosophie, -n** philosophy
die **Physik, -** physics, physical science
der **Physiker, -s, -** physicist
der **Physikstudent, -en, -en** student of physical science or physics
der **Pilz, -es, -e** mushroom
der **Plan, -s, ⁝e** plan, design
planen to plan, organize, design
Plastik plastic (material)
der **Platz, -es, ⁝e** spot, place
plötzlich sudden
die **Politik, -** politics
politisch political
die **Polizei, -** police
der **Polizist, -en, -en** policeman
der **Pomp, -s** pomp
populär popular
die **Post, -** mail; post office
prägen to coin; to imprint
der **Preis, -es, -e** price; prize, award, reward
die **Presse, -** press (newspapers)
die **Pressekonferenz, -en** press conference
das **Prestige, -s,** prestige
das **Preußen** Prussia
die **Primitivität, -en** primitivity
der **Prinz, -en, -en** prince
das **Privatleben, -s** private life
proben to rehearse; to test
das **Problem, -s, -e** problem
der **Professor, -s, -en** professor
die **Professur, -en** professorship
der **Profi, -s, -s** *abbrev. of* **Professional,** a pro

der **Proletarier, -s, -** proletarian

Prost, Prosit (*drinking toast*) Cheers! Your health!

der **Protestant, -en, -en** Protestant, Lutheran

protokollieren to register, record

prüfen to examine, test

die **Prüfung, -en** exam, examination, test

der **Prüfungsraum, -s, -e** room in which exam is taken

Prügel (*pl.*) thrashing; **eine gute Tracht Prügel** a good (sound) thrashing

PS = *abbrev. of* **Pferdestärke** HP (Horse Power)

das **Pulver, -s, -** powder

der **Pulverschnee, -s** powder snow

pünktlich punctual, on time

quälen to torture

die **Qualifikation, -en** qualification

(sich) **qualifizieren** to qualify

quer across, crosswise; **quergehen** to go wrong

der **Radau, -s** noise; **Radau schlagen** to kick up a row

das **Radio, -s** radio

die **Rangordnung, -en** rating, order of precedence

rasch rapid, quick

der **Rat, -(e)s,** (*pl.*) **Ratschläge** advice, suggestion

das **Rathaus, -es, -̈er** townhall

der **Raubritter, -s, -** robber knight, robber baron

der **Raubvogel, -s,** (*pl.*) **Raubvögel** bird of prey

das **Raubvogelnest, -s, -er** nest of a bird of prey, aerie

der **Rauch, -s** smoke, soot

rauchen to smoke

der **Raum, -(e)s, -̈e** room, space

die **Reaktion, -en** reaction

recht right, proper; rather; **er hat recht** he is right

der **Rechtsanwalt, -s,** (*pl.*) **Rechtsanwälte** lawyer, attorney-at-law

rechtzeitig on time, in due time

die **Rede, -n** speech, talk

reden to speak, talk, converse

die **Regel, -n** rule, standard; **in der Regel** as a rule

der **Regen, -s** rain

das **Regenwetter, -s** rainy weather

regieren to rule, govern, reign

die **Regierung, -en** government

die **Regierungszeit, -en** period of government; **in seiner Regierungszeit** during his reign

regnen to rain; **es regnet** it rains, it is raining

reich rich, wealthy

das **Reich, -(e)s, -e** empire, state

die **Reihe, -n** line, row, succession; series

rein clean, pure, clear; sheer

das **Reisebüro, -s, -s** travel agency

die **Reise, -n** trip, tour; journey, travel

der **Reisevertreter, -s, -** traveling salesman

reißen, (ei), i, i to pull with great effort, tug

reiten, (ei), i, i to ride, go on horseback

die **Reklame, -n** advertisement, promotion

das **Rennen, -s, -** race, contest

der **Rennerfolg, -(e)s, -e** success in racing, winning a (ski) contest

der **Rennläufer, -s, -** ski ace

der **Reporter, -s, -** reporter

resignieren to resign

der **Respekt, -s** respect

respektabel respectable; **eine respektable Summe** a tidy sum

der **Rest, -es, -e** rest, remainder

das **Restaurant, -s, -s** restaurant

das **Resultat, -(e)s, -e** result, outcome

retten to save

die **Revolution, -en** revolution

der **Rhein, -s** Rhine River

die **Rheinbrücke, -n** Rhine bridge

der **Rheindampfer, -s, -** Rhine steamer

der **Rheinländer, -s, -** inhabitant of the Rhineland, Rhinelander

das **Rheintal, -s** Rhine Valley

das **Rheinufer, -s, -** bank, shore of the Rhine

das **Rheuma** (*abbrev. of* **Rheumatismus**) rheumatism

richten to direct, pin-point

der **Richter, -s, -** judge

richtig right, correct, proper, genuine

riesig huge, colossal; giant

das **Risiko, -s,** (*pl.*) **Risiken** risk

der **Ritter, -s, -** knight

das **Rohr, -s, -e** pipe (plumbing)

die **Rolle, -n** rôle, part; **eine wichtige Rolle spielen** to play an important part

rollen to roll, to run on wheels

die **Romantik, -** Romantic Period

romantisch romantic, quaint

der **Römer, -s, -** ancient Roman; citizen of Rome

das **Roß, -sses, -sse** *or* **⸚er** horse, steed; **auf dem hohen Roß sitzen** to be on one's high horse, haughty, conceited

rostig rusty

rot red

das **Rückgrat, -s, -e** spine

die **Rückkehr** return; **bei seiner Rückkehr** (up)on his return

der **Rücksitz, -es, -e** back-seat

rückwärts backwards

der **Ruf, -(e)s, -e** reputation; assignment; call

rufen, ie, u to exclaim, call; **jemanden anrufen** to ring up (phone) somebody

die **Ruine, -n** ruin; **die Schloßruine** ruins of a castle

rund round

der **Rundfunk, -s** broadcast, radio

der **Ruß, -es** soot

der **Russe, -n, -n** Russian (man)

rußig sooty

russisch Russian

rustikal rustic

rutschen to glide, slide; to slip

die **Sache, -n** matter, thing, object; **keine leichte Sache** no easy matter;

aus jeder Sache das Beste machen to make the best of everything

der Sachschaden, -s, (*pl.*) Sachschäden damages

der Sachse, -n, -n Saxon

der Sack, -s, ⸚e sack, bag

sagen to say; vorhersagen to predict

die Saison, -, *or* -s season

der Salat, -(e)s, -e salad

das Salz, -es, -e salt

die Sammlung, -en collection, compilation

der Samstag, -s, -e Saturday

der Sand, -es sand

sarkastisch sarcastic

sauber clean, pure

säubern to clean, scrub clean

der Saupreuße, -n, -n dirty Prussian

der Schaden, -s, ⸚ harm, injury, damage

schaden to hurt; das schadet nichts it does not matter

schädigen to make suffer; to damage, hurt

schaffen to make; to do

der Schaffner, -s, - (bus, streetcar) conductor, driver

die Schale, -n skin, peel, shell

scharf sharp, hot

schätzen to appreciate

der Schauspieler, -s, - actor

die Scheidung, -en divorce

schenken to give (as a gift)

scherzen to jest, joke; to make fun of

scheu timid, shy

scheußlich awful, horrible, horrid

scheuen to shun, avoid; to be afraid of

schicken to send, forward, deliver

das Schicksal, -es, -e destiny, fate

schieben, o, o to push

der Schiedsrichter, -s, - umpire, arbitrator, referee

schießen, o, o to shoot, to spring up

das Schiff, -(e)s, -e ship, boat

der Schimmel, -s mildew, mould

die Schlacht, -en battle

das Schlachtfeld, -(e)s, -er battlefield

schlafen, ie, a to sleep

schlagen, u, a to hit, beat

schlagfertig quick-witted, quick at repartee

der Schlapphut, -(e)s, ⸚e slouched hat

schlecht bad, evil; poorly

das Schlesien Silesia

schließlich eventually, finally, at last, at least

der Schliff, -s, (-e) polish (cut); good manners

schlimm bad, sore

das Schloß, -sses, ⸚sser castle; palace

der Schluß, -sses, ⸚sse end, close; conclusion; zum Schluß in the end

der Schlüssel, -s, - key

die Schlüsselfigur, -en key figure

schmecken to taste; Hat Ihnen der Braten geschmeckt? Did you like the roast?

schmunzeln to smile benevolently, pleasantly

schmutzig dirty, polluted

der Schnaps, -es strong liquor (rye, brandy, gin, etc.)

der **Schnee, -s** snow
die **Schneebar, -s** snow bar
die **Schneeflocke, -n** snow-
flake
schneiden, i, i to cut
der **Schneider, -s, -** tailor
schnell quick, fast, rapid,
swift **Mach schnell!**
Hurry up!
das **Schnellfahren, -s** speed
driving, speeding
das **Schnitzel, -s, -** (boneless)
cutlet; (Wiener) schnitzel
der **Schock, -s, -s** shock
schockieren to shock, scan-
dalize
schon already
schön beautiful; **na schön!**
well, o.k.; **wie schön!**
how nice, how pleasant
die **Schönheit, -en** beauty
der **Schornstein, -s, -e** chimney, flue
der **Schornsteinfeger, -s, -**
chimney sweep
der **Schornsteinfegermeister, -s, -** master chimney
sweep
schrecklich terrible, awful
schreiben, ie, ie to write
das **Schreiben, -s, -** letter,
document
der **Schreibtisch, -es, e** desk,
writing table
der **Schriftsteller, -s, -** writer,
author
der **Schubkarren, -s, -** push-
cart, wheelbarrow
schüchtern timid, bashful,
shy
der **Schuh, es, -e** shoe
der **Schuhmacher, -s, -** shoemaker
der **Schuhmachermeister, -s,
-** master shoemaker

die **Schuld, -** guilt, blame;
**jemandem die Schuld
geben an etwas** to blame
somebody for something
schuldig guilty; **keine Antwort schuldig bleiben**
not to be at a loss for an
answer
der **Schuldige, -n, -n** guilty
party
die **Schule, -n** school
das **Schuljahr, -(e)s, -e** school
year
die **Schulter, -n** shoulder
der **Schuß, -sses, ˙sse** shot,
dash; **eine Weiße mit
Schuß** a (light) beer with
a dash (of raspberry) =
Berlin specialty
der **Schütze, -n, -n** rifleman
das **Schützenfest, -es, -e** riflemen's meet, festival
der **Schützenkönig, -s, -e**
champion shot (king of
riflemen)
schwarz black
das **Schweden** Sweden
das **Schwein, -(e)s, -e** hog, pig
die **Schweiz** Switzerland
schwer difficult, hard, severe; heavy
schwerfällig awkward,
clumsy
schwierig complicated, difficult; tough
die **Schwierigkeit, -en** diffi-
culty, complication
das **Schwimmbad, -es, ˙er**
swimming pool
schwimmen, a, o to swim
schwindelfrei free from
giddiness or vertigo
schwindlig giddy, dizzy
schwingen, a, u to swing
die **Seele, -n** soul, mind

sehen, ie, a, e to see, to look at; **sehen Sie** you know, you must know; **Sieh mal hier!** Look here!

sich sehnen nach to long for

sehr very; highly; most

das **Seil, -s, -e** cable, rope

die **Seilbahn, -en** cable-car

sein, war, (ist) gewesen to be

seit since

die **Seite, -n** side; page (of a book)

die **Seitenstraße, -n** side street, side lane

der **Sekretär, -s, -e** secretary

die **Sekretärin, -nen** (female) secretary

selbst self; even; **ich selbst** I myself

selbständig independent, self-reliant

das **Selbstbewußtsein, -s** self-confidence, self-assertion

die **Selbstironie, -** irony turned toward oneself

selbstlos unselfish, disinterested, self-sacrificing

selbstverständlich obvious, natural, evident; as a matter of course; **etwas für selbstverständlich halten** to take something for granted

das **Selbstvertrauen, -s** self-confidence, self-reliance

selten rare, scarce; seldom

das **Semester, -s, -** term; half-year (academic)

das **Seminar, -s, -e** seminar advanced class

der **Sessel, -s, -** arm-chair, easy-chair

setzen to place, put; **sich setzen** to sit down

das **Sibirien** Siberia

sicher sure, certain; safe

sicherlich certainly, to be sure, doubtlessly

der **Sieg, -(e)s, -e** victory; conquest; triumph

simpel simple, plain

singen, a, u to sing

der **Sinn, -(e)s, -e** sense, taste; **Sinn für Humor** sense of humor; **Sinn für die Wirklichkeit** sense of reality

die **Sitte, -n** custom, habit, tradition

die **Situation, -en** situation

der **Sitz, -es, -e** seat

sitzen, a, e to sit

der **Skandal, -s, -e** scandal

skandalös scandalous

der **Ski, -s, -er** ski

der **Skiamateur, -s, -e** amateur skier

die **Skiausrüstung, -en** ski equipment, skiing outfit

die **Skifabrik, -en** ski factory

Ski fahren to ski, go skiing

der **Skifahrer, -s, -** skier

die **Skifirma, -en,** ski firm

das **Skigebiet, -(e)s, -e** skiing grounds, ski district

der **Skihang, -s, ⁻e** ski slope

der **Skihase, -n, -n** ski bunny = cute girl skier, beginner

die **Skikanone, -n** ski ace

Ski laufen to ski, go skiing

der **Skiläufer, -s, -** skier

der **Skilehrer, -s, -** ski instructor

die **Skimode, -n** ski fashion

das **Skirennen, -s, -** ski contest, race

der "Skisalat", -s, -e ski mêlée
der Skisport, -s, ski sport
der Skistar, -s, -s ski star, ski ace
das Skizentrum, -s, -zentren ski center
der Slogan, -s, -s slogan
der Snob, -s, -s snob
der Snobismus, - snobism
so so, thus; (in) this (that) way
sobald as soon as
sofort immediately, on the spot, without delay
sogar even; and what's more
sogenannt so-called
der Sohn, -(e)s, ⁒e son
solange as long as
solch such
der Soldat, -en, -en soldier
sollen may, shall; be said to, be supposed to
der Sommer, -s, - summer
der Sommergast, -es, ⁒e summer guest, visitor, tourist
die Sommersaison, -s summer season, high season
sondern but; nicht nur ... sondern auch not only ... but also
die Sonne, -n sun
die Sonnenbräune, - sun tan
der Sonnenschein, -(e)s sunshine
der Sonntag, -(e)s, -e Sunday
sonst otherwise, else
sorgen für to see to; to look out for
sorgfältig careful, conscientious
sozial social
sozusagen so to speak; as it were

der Spargel, -s asparagus
sparsam thrifty, economical
der Spaß, -es, ⁒e fun; joke
spät late, lately; später later
der Spaziergang, -s, ⁒e walk
SPD = Sozialdemokratische Partei Deutschlands Social-Democratic Party (political party of West-Germany)
das Spezialgebiet, -(e)s, -e special subject, branch
der Spiegel, -s, - mirror, glass
das Spiel, -s, -e play, game
spielen, to play
der Spieler, -s, - player; gambler
die Spitze, -n top, summit; point; head
die Spitzengruppe, -n leading group
spontan spontaneous
der Sport, -(e)s sport
die Sportart, -en branch, type of sport
das Sporthotel, -s, -s sport hotel
sportlich sportive
der Sportteil, -s, -e sport section (of a newspaper)
der Spott, -es derision, mockery, sarcasm
sprechen, i, a, o to speak
das Sprechzimmer, -s, - office, consulting room
das Sprichwort, -(e)s, ⁒er proverb; saying
springen, a, u to spring, jump, leap
spüren to feel, sense
der Staat, -es, -en state
das Staatsexamen, -s, - State examination

der **Stachel, -s, -n** prong; bristle
die **Stadt, ˑe** city, town
der **Stall, -s, ˑe** stable, barn;
Kuhstall cowshed
stammen to stem from, to
originate
stark strong, powerful, severe, intense
die **Statistik, -en** statistics
statt, anstatt instead of
die **Statue, -n** statue
der **Status, -,** state, status
das **Statussymbol, -s, -e** status
symbol
das **Steak, -s, -s** steak
stecken to put, stock; **es
steckt noch in den Kin-
derschuhen** it is still in
its initial stages, in-
fancy
stehen, a, a to stand; to
halt; **zum Stehen kom-
men** to come to a halt;
**Auf der letzten Seite
steht . . .** The last page
reads . . . **Was steht in
dem Brief?** What does
the letter say?
steif stiff, formal, rigid
steigen, ie, ie to go up,
climb, mount; to rise
der **Stein, -(e)s, -e** stone, rock,
pebble
steinern stony, stone . . .
die **Stelle, -n** place, spot; **auf
der Stelle** on the spot,
immediately
stellen to place, put; **sich
vorstellen** to imagine;
auf den Kopf stellen to
put upside down; **eine
Frage stellen** to ask a
question
die **Stellung, -en** position, status; job

sterben, i, a, o to die, pass
away; **aus/sterben** to
become extinct
stolz proud
stören to bother, trouble,
disturb
stoßen, ie, o to push
der **Strafbefehl, -s, -e** sum-
mons with threat of pun-
ishment
die **Strafe, -n** punishment, pen-
alty, fine
die **Straße, -n** street, road
die **Straßenbahn, -en** streetcar
der **Straßenverkehr, -s** traffic
streifen to touch lightly; to
brush by
der **Streit, -(e)s, Streitereien**
dispute, argument, quarrel
streiten, i, i to quarrel,
fight, argue; **darüber
kann man streiten**
that's a moot point, that's
open to question
der **Strom, (e)s, ˑe** river
die **Struktur, -en** structure
das **Stück, -(e)s, -e** piece; play
(theater)
der **Student, -en, -en** student
das **Studentendorf, -s, ˑer**
student village
der **Studienplan, -s, ˑe** study
program; university cur-
riculum
studieren to study
der **Studierende, -n, -n** one
who studies, student
das **Studium, -s, (pl.) Studien**
studies; research
der **Stuhl, -s, ˑe** chair, seat
die **Stunde, -n** hour; **eine
halbe Stunde** half an
hour
stundenlang for hours

stürmen to storm, take by assault

stürmisch stormy, tempestuous

stürzen to tumble; to crash (a plane); **eine Regierung stürzen** to overthrow a government

stützen to support, back up

die **Suche, -n** search; **auf der Suche nach** in search of

suchen to search; to look for

süddeutsch south German

Süddeutschland South Germany, southern Germany

der **Süden, -s** the south

südlich south, southern; **am südlichsten** southernmost

die **Summe, -n** sum, amount

der **Sündenbock, -s, ⁚e** scapegoat

der **Supermarkt, -s, ⁚e** supermarket

die **Superrakete, -n** super rocket

die **Suppe, -n** soup

die **Sympathie, -n** sympathy, pity

das **Synonym, -s, -e** synonym

der **Tag, -es, -e** day; **am Tage** by day, in the daytime; **eines Tages** one day

das **Tagebuch, -(e)s, ⁚er** diary

die **Tageszeit, -en** time of day

täglich daily

der **Takt, -es, -e** beat, rhythm

das **Tal, -(e)s, ⁚er** valley; **zu Tal fahren** to go, ride downhill

das **Talent, -(e)s, -e** talent, gift

talentiert talented, gifted

die **Tante, -n** aunt

der **Tanz, -es, ⁚e** dance

die **Tänzerin -nen** (female) dancer

die **Tasche, -n** bag, pocket; purse; **etwas in der Tasche haben** to have something in the bag

der **Taschendieb, -(e)s, -e** pickpocket

die **Tasse, -n** cup

die **Tat, -en** deed, act, action; **in der Tat** indeed

die **Tatsache, -n** fact, matter of fact

tatsächlich really, in fact, actually

tauchen to dip, immerse

(sich) **täuschen** to be mistaken, be wrong

die **Taxe, -n** taxi, cab

das **Taxi, -s, -s** taxi, cab

der **Taxichauffeur, -s, -e** taxi driver, cabby

der **Taxifahrer, -s, -** taxi driver, cabby

das **Team, -s, -s** team

der **Teekessel, -s, -** tea pot, tea kettle

der **Teenager, -s, -** teenager

der **Teil, -(e)s, -e** part, portion, share

teil/nehmen, i, a, o to take part, to participate

der **Teilnehmer, -s, -** participant

das **Telefon, -s, -e** telephone

das **Telefongespräch, -(e)s, -e** telephone conversation

die **Telefonverbindung, -en** telephone connection

der **Teller, -s, -** dish, plate

die **Temperatur, -en** temperature

der **Temperaturwechsel, -s, -** change of temperature

das **Tempo, -s** speed, pace

das **Tennis, -** tennis
der **Test, -(e)s, -e** test
teuer dear, expensive
der **Teufel, -s, -** devil
der **Teufelskreis, -es, -e** vicious circle
das **Theater, -s,** theater; **ins Theater gehen** to go to the theater
der **Theaterplan, -s, ⁻e** theater program
das **Thema, -s,** (*pl.*) **Themen** theme, subject
theoretisch theoretic
der **Thron, -(e)s, -e** throne
tief deep, profound
das **Tier, -(e)s, -e** animal
der **Tisch, -es, -e** table
der **Tischler, -s, -** cabinet maker, joiner
der **Titel, -s, -** title
der **Ton, -(e)s, ⁻e** sound, tone, note; **den Ton angeben** to call the tune, give the key note, set the fashion
der **Topf, -s, ⁻e** pot, saucepan
der **Topmanager, -s, -** top manager
das **Tor, -(e)s, -e** gate, door; portal
tot dead; **der Tote** the dead man, deceased person
töten to kill
(sich) **tot arbeiten** to work oneself to a frazzle
der **Tourismus, -** tourism
der **Tourist, -en, en** tourist
die **Tracht, -en** national costume; **eine gute Tracht Prügel** a good sound thrashing
die **Tradition, -en** tradition
traditionell traditional
tragen, ä, u, a to carry; to wear; to bear

tragisch tragic, tragical
die **Tragödie, -n** tragedy
der **Trainer, -s, -** trainer, coach
trainieren to coach, train
das **Training, -s** training
der **Traktor, -s, -en** tractor
die **Traufe, -n** eaves, gutter; **vom Regen in die Traufe kommen** jump from the frying pan into the fire
der **Traum, -(e)s, ⁻e** dream
träumen to dream, fancy
treffen, i, a, o to hit; to meet (with), encounter; **eine Entscheidung treffen** to make a decision
trennen to separate, to get away from
die **Trennung, -en** separation, severance
treten, i, a, e to tread, step; **jemandem auf die Hühneraugen treten** to hurt somebody's feelings
trinken, a, u to drink
trocken dry
trotzdem all the same, nevertheless
die **Trümmer** (*pl.*) rubble, debris
die **Truppe, -n** troup
tun, tat, getan to do, make
die **Tür, -en** door
der **Turm, -(e)s, ⁻e** tower; (church) spire
die **Tüte, -n** paper bag
der **Tutor, -s, -en** tutor, instructor
der **Typ, -s, -en** type; character
typisch typical, characteristic
über over, above, about

überall everywhere, all over
überfahren, ä, u, a to run over
überhaupt actually, after all, generally speaking
überholen to pass (a car), overtake
überlassen, ä, ie, a to leave to
überleben to survive
überlegen to reflect, think something over
übernächst the next but one; **übernächste Woche** the week after next
übernehmen, i, a, o to take over; to assume (responsibility, etc.)
überraschen to surprise, amaze; to come as a surprise
die **Überraschung, -en** surprise, amazement
überreichen to hand over
überschätzen to overrate, overestimate
übersehen, ie, a, e to overlook, fail to notice
überstehen, a, a to overcome, get over
überstürzen to precipitate, to rush
überwältigend overwhelming
überwinden, a, u to overcome, conquer
überzeugen to convince, persuade; **fest davon überzeugt sein** to be firmly convinced of it
die **Uhr, -en** watch; clock; **es ist ein Uhr** it is one o'clock
das **Ultimatum,- s,** (*pl.*) **Ultimaten** ultimatum

um at, around, for
um zu in order to, to
die **Umfrage, -n** poll, general inquiry
umher around, about
ums = um das
der **Umsatz, -es, ∵e** turnover, sales
(sich) **um/sehen, ie, a, e** to look around; to look for
der **Umstand, -(e)s, ∵e** circumstance; condition; **nach den Umständen** according to circumstances
der **Umweg, -(e)s, -e** detour
um/ziehen, o, o to move, change one's residence
der **Umzug, -(e)s, ∵e** parade; moving
die **Unabhängigkeit, -en** independence
unbedeutend insignificant, unimportant
unbedingt absolutely, necessarily
unbeholfen awkward, clumsy
unbequem inconvenient; troublesome
unerfahren inexperienced
unerfreulich unpleasant
unfähig unable, incapable, incompetent
die **Unfähigkeit, -en** inability, incompetence
der **Unfall, -s, ∵e** accident
ungeduldig impatient
ungefähr approximately, roughly, around, about
ungefährlich harmless, not dangerous
ungenügend insufficient, poor
ungestört without interference, uninterruptedly

ungewaschen unwashed, without being washed

ungleich unequal, unlike

das **Unglück, -(e)s,** misfortune, bad luck; **was für ein Unglück!** How unfortunate

unhygienisch unsanitary

uninteressant uninteresting, unattractive

die **Universität, -en** university

die **Universitätsstadt, ¨e** university town

unkompliziert uncomplicated, simple

unmittelbar direct, immediate; **in unmittelbarer Nähe** in the immediate vicinity

unmodern unfashionable, outmoded

unmöglich impossible

die **Unruhe, -n** unrest, commotion

unschuldig innocent, not guilty

der **Unsinn, -s** nonsense

unten below; **nach unten** down, downward; **da unten** down there

unter under, among, below; **unter einen Hut bringen** to reconcile, bring together

unter/gehen, i, a to go under, perish

unterhalten, ä, ie, a to maintain, keep; to talk to, converse

die **Unterhaltung, -en** conversation, talk

unterscheiden, ie, ie to distinguish, differentiate

der **Unterschied, -es, -e** difference, distinction; **im**

Unterschied zu, zum Unterschied von unlike, as distinguished from

unterstreichen, i, i to underline; to stress

der **Untertan, -s, -en** subject

die **Untreue, -** infidelity, unfaithfulness

unverheiratet unmarried

unvermeidbar unavoidable, inevitable

unverständlich incomprehensible, inconceivable

das **Unwetter, -s, -** storm, thunderstorm

unwichtig unimportant, insignificant

unzuverlässig unreliable, untrustworthy

urban urbane

der **Urbayer, -n, n** original Bavarian (prototype of a Bavarian)

der **Urlaub, -s, -e** holiday, vacation; furlough

ursprünglich originally

das **Urteil, -s, -e** sentence; judgment

der **Vater, -s, ¨** father

der **Vegetarier, -s, -** vegetarian

verabreden to agree upon

sich **verabreden** to make a date; to agree upon

die **Verantwortung** responsibility

verärgern (jemanden) to annoy (somebody), vex

verbinden, a, u to connect, link, couple; **sich verbinden mit** to get connected with, link with

die **Verbindung, -en** relation, contact, link, connection

verblüffen to baffle, bewilder, perplex

verbringen to pass, spend (time, vacations)

verdienen to earn (money, a salary)

verdoppeln to double

verdrängen to push away, to oust

der **Verein, -s, -e** club

vereinigen to unite, join together

die **Vereinigten Staaten** United States

die **Verfügung, -en** disposal; **zur Verfügung stellen** to place at the disposal (of)

vergangen past, gone; **im vergangenen Winter** last winter

die **Vergangenheit, -en** past

vergeblich, vergebens in vain

vergessen, i, a, e to forget

vergleichen, i, i to compare

das **Vergnügen, -s, -** pleasure

(sich) **verhalten, ä, ie, a** to conduct oneself, behave

das **Verhalten, -s** behavior, conduct

das **Verhältnis, -ses, -se** (personal) relationship

verhindern to prevent, stop

verkaufen to sell

der **Verkäufer, -s, -** salesman

der **Verkehr, -s** traffic

verkehren to operate; to come and go

das **Verkehrsgesetz, -es, -e** traffic rule

der **Verkehrspolizist, -en, -en** traffic cop

der **Verkehrsunfall, -s, ¨e** traffic accident

verkehrt wrong, perverted, upside down

verlangen to demand, request

verlassen, ä, ie, a to leave

verwunden to hurt, wound; to offend

verlieren, o, o to lose

der **Verlierer, -s, -** loser

vermeiden, ie, ie to avoid, steer clear of

vermissen to miss (something, a person)

verpassen to miss; **den Zug, ein Boot verpassen** to miss the train, a boat

verrückt crazy, mad, loony

der **Versager, -s, -** flop, failure

verschaffen to procure, provide

verschieden different, dissimilar; (*pl.*) various, several

verschlafen sleepy

verschulden to encumber with debts

verschwinden, a, u to disappear, vanish

das **Versehen, -s, -** error, mistake; **aus Versehen** by mistake, erroneously, accidentally

die **Version, -en** version

verspotten to deride, jeer at, sneer at

versprechen, i, a, o to promise

verständigen to notify, inform; **sich verständigen mit** to come to an understanding with

verständlich understandable, obvious

verstehen, a, a to understand, comprehend

versuchen to try, attempt

vertragen, ä, u, a to bear, stand, endure

verunglücken to have an accident

verurteilen to sentence

die **Verwaltung, -en** administration, the Authorities

die **Verwaltungsaufgabe, -n** administrative task

verwechseln (mit) to confuse, confound (with)

verwirren to entangle; **sich verwirren** to get entangled, confused

verwirrend confusing, bewildering

verwunderlich amazing, astonishing, strange

verwundet wounded, hurt; **die Toten und Verwundeten** the casualties

verzeihen, ie, ie to pardon, forgive

verzweifelt desperate, despairing; in despair

der **Vetter, -s, -n** (male) cousin

viel much; (*pl.*) many

vielleicht maybe, perhaps

vielversprechend highly promising

der **Vierjahresvertrag, -s, ⁓e** four year's contract, pact

viermal four times

viermotorig four-engine

das **Viertel** quarter, fourth part; **eine Viertelstunde** a quarter hour

der **Virtuose, -n, -n** virtuoso

vital vital, vigorous

der **Vogel, -s, ⁓** bird

das **Volk, -(e)s, ⁓er** (a) people, nation

der **Volkswagen, -s, -** make of a German car

der **Volkswagenfahrer, -s, -** VW driver

voll full; **die Nase voll haben** to be fed up

völlig complete, absolute; entirely, fully

vom = von dem

von from, of, by

vor before, in front of, ago; from; **vor allem** above all

voraus ahead, in front

vorbei past, over, gone

vorbei/fahren, ä, u, a to drive past

vorbei/führen to lead past

vor/bereiten (auf etwas) to prepare, get ready (for something)

die **Vorfahrt, -** right of way

der **Vorgänger, -s, -** predecessor

vorher in advance, previously

vorhin a little while ago; just now

vorig previous, former, last; **im vorigen Jahrhundert** during the last century

vor/kommen, a, o to happen, occur

die **Vorlesung, -en** lecture, course

vorn(e) in front, at the head

der **Vortag, -(e)s, -e** the day before, previous day

der **Vortrag, -(e)s, ⁓e** lecture

vorwärts forward

vorzeitig prematurely

die **Wache, -n** police station, guard house

wachsen, ä, u, a to grow, increase

der **Wagen, -s, -** car, automobile (carriage, coach)

die **Wahl, -en** choice, selection

wählen to choose, select; to elect, vote; **eine Telefonnummer wählen** to dial a telephone number

wahnsinnig crazy, nuts

wahr true, truthful

während during, while

wahrscheinlich probably, likely

das **Wahrzeichen, -s, -** landmark

die **Wand, ⸚e** wall, partition

wann when

warten (auf) to wait (for)

warum why, on what grounds

was what

waschen, ä, u, a to wash

das **Wasser, -s** water

das **Wasserglas, -es, ⸚er** water glass, tumbler

der **Wechsel, -s, -** change, alternation

wechseln to change, shift; to alternate

weder . . . noch neither . . . nor

weg away, gone, off

der **Weg, -(e)s, -e** way, road, path

weg/ziehen, o, o to draw, pull away, drag, cart off, tow away

weil because, since

die **Weise, -n** way, manner, style; **in gleicher Weise** the same way; **in keiner Weise** in no way, by no means; **auf diese Weise** this way

weiß white

weit wide, broad, distant; far; **ohne weiteres** without further (any) ado

weiter/leben to go on living; to live after death

weiter/machen to continue, carry on (as before)

welch what; which, who, that; **Welch eine Überraschung!** What a surprise!

die **Welt, -en** world; **zur Welt bringen** to give birth to; **zur Welt kommen** to be born

weltbekannt world-renowned, of world wide fame

die **Weltstadt, ⸚e** metropolis

der **Weltuntergang, -es (⸚e)** end of the world

wenden to turn; **sich wenden an** to turn to; to address oneself to

wenig little; (*pl.*) few

wenigstens at least

wenn when; if

wer who; whoever; he who

werden, (wird), wurde, geworden to become; to grow; to come to be

werfen, i, a, o to throw; to drop

der **Wert, -es, -e** value, price, equivalent

wesentlich essentially, substantially

weshalb why, how come

der **Westberliner, -s, -** man from West Berlin

die **Wette, -n** bet, wager

wetten to bet

das **Wetter, -s,** weather

der **Wettkampf, -es, ⸚e** contest (prize fight)

das **Wettschießen, -s, -** shooting contest

wichtig important, essential, significant

widerfahren, ä, u, a to befall somebody; to happen, occur

widmen to devote (one's time) to

wie how; as, like

wieder again, once more; **immer wieder** again and again

wieder hören to hear again; **auf Wiederhören** good-by (over the phone)

wieder/sehen, ie, a, e to see again; **auf Wiedersehen** so long, good-by(e)

wiederum on the other hand, again

das **Wien** Vienna

der **Wiener, -s, -** the Viennese

wieviel how much, how many

wild wild, turbulent

der **Wille, -ns** will, wish, intention

der **Wind, -es, -e** wind, storm; **mit Windeseile** at lightning-speed; in a jiffy

die **Windmühle, -n** windmill

der **Winter, -s, -** winter

winterlich wintry

der **Wintersportort, -es, -e** wintersport resort

wirklich real, true, actual

die **Wirklichkeit, -en** reality, actual fact; **in Wirklichkeit** in reality

wirken to have an effect; to appear to be

die **Wirkung, -en** effect, reaction

die **Wirtschaft, -en** (modest) inn, (*English*: pub), restaurant (*generally*: economy, household)

wissen, weiß, wußte, gewußt to know, have knowledge; **Woher wissen Sie?** How do you know?

die **Wissenschaft, -en** science

der **Wissenschaftler, -s, -** scientist

die **Witwe, -n** widow

der **Witz, -es, -e** joke, witticism, wit

witzig witty, funny

wo where

die **Woche, -n** week

das **Wochenende, -s, -n** weekend

der **Wochentag, -(e)s, -e** weekday

wodurch whereby, by what means, how

wofür for what, for which

woher from where, where . . . from; how

wohin whereto, whither, where

wohl well, perhaps

wohlmeinend well-meaning

wohnen to live, reside

das **Wohnheim, -s, -e** (residential) home

die **Wohnung, -en** apartment

wollen to want, wish, intend

woran what; how come

worauf = auf was

das **Wort, -es, ˮer** (individual words), **-e** (*coherent expressions*) word

wozu what for, to what purpose

das **Wunder, -s, -** wonder, miracle; **kein Wunder, daß** ... small wonder that ...
wunderbar wonderful, marvellous
(sich) **wundern** to wonder, be amazed; **Wen wundert es?** Who is surprised?
die **Wurst, ̈e** sausage
wütend angry, furious
zäh tough, stubborn, tenacious
die **Zahl, -en** number, figure
zahlen to pay
zählen to count
zahlreich numerous
das **Zauberwort, -es, -e** magic word
zeigen to show, demonstrate, indicate, prove
die **Zeit, -en** time, while, period; **vor einiger Zeit** some time ago; **zur Zeit** at present, for the time being
das **Zeitalter, -s,** era
die **Zeitung, -en** newspaper, paper
das **Zelt, -es, -e** tent
der **Zeltplatz, -es, ̈e** tent site, camping site
das **Zentrum, -s, (pl.) Zentren** center
zerbrechen, i, a, o to break; **sich den Kopf zerbrechen** to rack one's brains
zerstreut absent-minded
der **Zettel, -s, -** slip (of paper), scrap
ziehen, o, o to pull, draw, tug
zielen to aim
ziemlich rather, somewhat, pretty

die **Zigarre, -n** cigar
der **Zigeuner, -s, -** gypsy
das **Zigeunerleben, -s** gipsy life
das **Zimmer, -s, -** room, hall
der **Zimmermann, -(e)s, (pl.) Zimmerleute** carpenter
der **Zoll, -s** toll, duty, customs
zu to, at, in
zucken to jerk, to start, twitch; **die Achseln zucken** to shrug one's shoulders
der **Zucker, -s** sugar
zuckern to sugar
zuerst at first, to begin with
der **Zufall, -s, ̈e** coincidence; chance
zufällig by chance, accidentally
zufrieden content, satisfied
der **Zug, -(e)s, ̈e** train
zu/geben, i, a, e to admit, confess
zugleich simultaneously, at the same time
zu/hören (jemandem) to listen to somebody
die **Zukunft, -** future
zum = zu dem
zu/machen to close, shut
zumindest at least
zunächst to begin with, first, at first
zur = zu der
zurück back, backward(s)
zurück/gehen, i, a to return, go back; to go down, decrease
zurück/kommen, a, o to return, come back
zurück/kehren to return
zusammen together

der **Zusammenbruch, -(e)s,**
⁀e crash, collapse, breakdown
zusammen/fassen to sum-
marize, recapitulate
der **Zuschauer, -s, -** spectator;
(*pl.*) the audience
zuständig competent, re-
sponsible
zu/treten auf jemanden
to step up to somebody
der **Zweifel, -s, -** doubt; **ohne**

jeden Zweifel without
any doubt
zweifellos doubtless, in-
dubitable
zweisprachig bilingual
zwingen, a, u to force,
compel
zwischen between
die **Zwischenzeit, -en** interim,
interval
zwölf twelve
der **Zylinder, -s, -** cylinder